**tab. 1** MIANOWNIK Kto? Co?

*l. poj.*

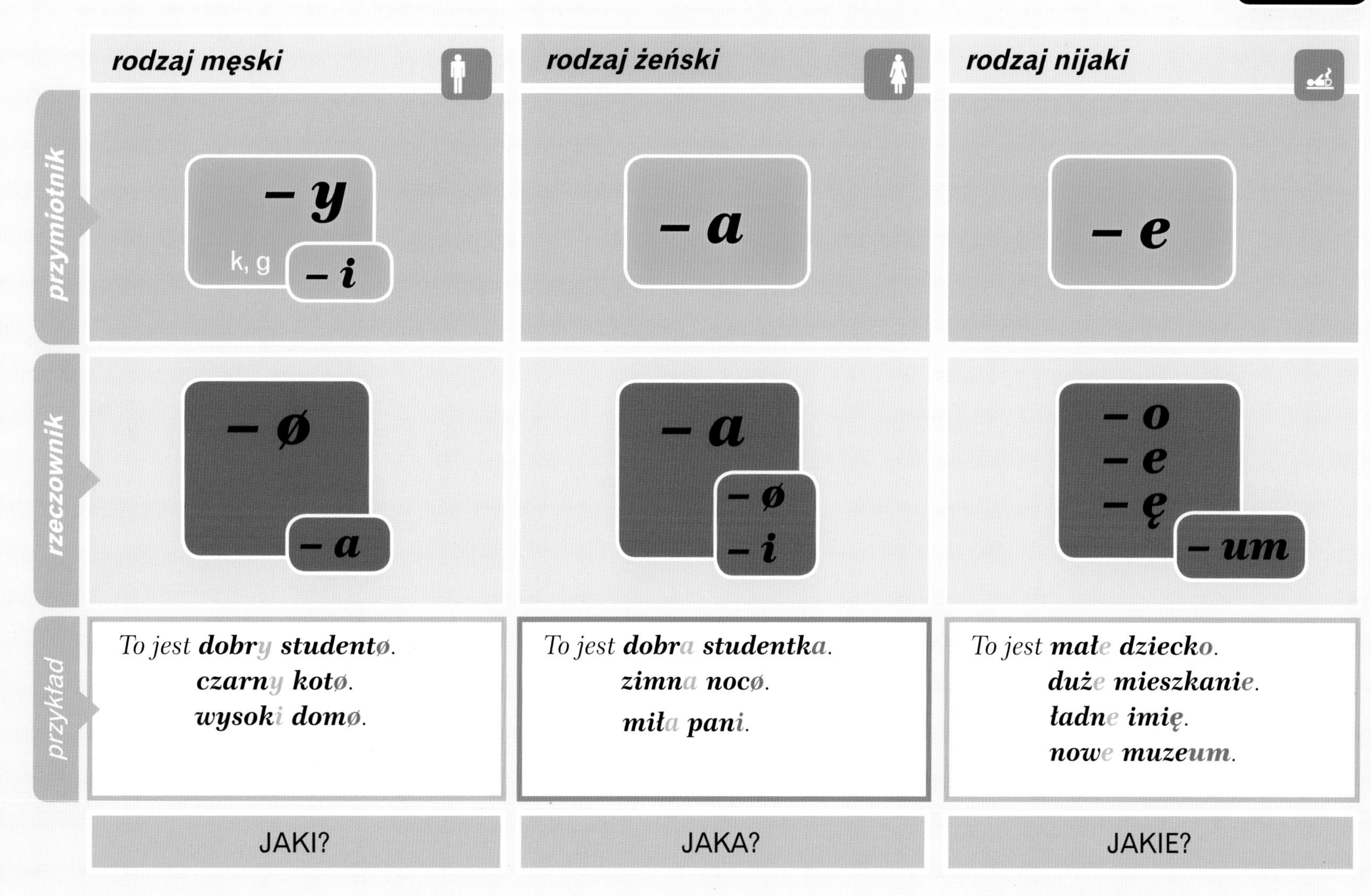


Sprawdź, czy umiesz. Zrób ćwiczenia na:

e-polish.eu

## Deklinacja

W języku polskim *rzeczowniki, przymiotniki, zaimki, liczebniki i imiesłowy przymiotnikowe* odmieniają się przez przypadki. Przypadek to kategoria gramatyczna, która pokazuje, jaką funkcję w zdaniu pełni dana część mowy. W języku polskim występuje 7 przypadków.

| PRZYPADEK | PYTANIE |
|---|---|
| MIANOWNIK | *kto? co?* |
| DOPEŁNIACZ | *kogo? czego?* |
| CELOWNIK | *komu? czemu?* |
| BIERNIK | *kogo? co?* |
| NARZĘDNIK | *(z) kim? (z) czym?* |
| MIEJSCOWNIK | *o (w, na, przy, po) kim? o (w, na, przy, po) czym?* |
| WOŁACZ | ------ |

## MIANOWNIK

I przypadek *Kto? Co?*

To pierwszy przypadek i zarazem podstawowa forma danego słowa. W zdaniu mianownik pełni funkcję podmiotu. Mianownika używamy również po przyimku *jako*.

### ■ Rodzaj rzeczownika

W liczbie pojedynczej rzeczownik może występować w trzech rodzajach: **męskim**, **żeńskim** lub **nijakim**. O rodzaju rzeczownika decyduje jego końcówka.

- **rodzaj męski**
  Większość rzeczowników rodzaju męskiego kończy się na *spółgłoskę* i ma tak zwaną *końcówkę zerową* (ø).
  Istnieje grupa rzeczowników oznaczających mężczyzn, które kończą się na *-a*.
  Nazywają one głównie wykonawców czynności oraz zawody:
  *dentysta, poeta, kierowca, pianista, artysta*
  (w rodzaju żeńskim: *dentystka, poetka, artystka*…)

- **rodzaj żeński**
  Najczęściej rzeczowniki rodzaju żeńskiego kończą się na *-a*: *mapa, studentka*
  Istnieje grupa rzeczowników, które kończą się na *spółgłoskę*: *noc, mysz, powieść, miłość, złość* (często są to rzeczowniki nazywające emocje).
  Mała grupa rzeczowników ma końcówkę *-i*: *pani, sprzedawczyni, bogini, mistrzyni*.

- **rodzaj nijaki**
  Rzeczowniki rodzaju nijakiego mają końcówki: *-o, -e, -ę*. Najbardziej rozpowszechniona jest końcówka *-o*, najrzadziej występuje *-ę*.
  Istnieje grupa rzeczowników pochodzenia łacińskiego zakończonych na *-um*: *centrum, muzeum, gimnazjum, laboratorium, hospicjum.*

Zwykle rodzaj gramatyczny i rodzaj naturalny rzeczownika się zgadzają; potomstwo zwierząt ma zazwyczaj rodzaj nijaki:

*ojciec, syn, brat, tata, mężczyzna, dentysta* - **r. męski**
*mama, kobieta, pani, sprzedawczyni* - **r. żeński**
*dziecko, szczenię, pisklę* - **r. nijaki**

Rodzaj gramatyczny rzeczownika decyduje o rodzaju innych odmiennych części mowy, np.: przymiotnika, zaimka, liczebnika czy czasownika w czasie przeszłym.

### ■ Rodzaj przymiotnika

Przymiotnik występuje w trzech rodzajach, dostosowując się do rzeczownika.

| przymiotnik | **r. męski** *-y / -i* * | **r. żeński** *-a* | **r. nijaki** *-e / -ie* * |
|---|---|---|---|
| *miły,-a,-e* | ***miły*** student | ***miła*** studentka | ***miłe*** dziecko |
| *wysoki,-a,-ie* | ***wysoki*** mężczyzna | ***wysoka*** pani | ***wysokie*** zwierzę |
| *nowy,-a,-e* | ***nowy*** słownik | ***nowa*** książka | ***nowe*** zdjęcie |
| *stary,-a,-e* | ***stary*** kubek | ***stara*** komórka | ***stare*** muzeum |

* jeśli przymiotnik kończy się na: *-k* lub *-g*, to w rodzaju męskim ma końcówkę: *-ki* lub *-gi*, a w nijakim *-kie* lub *-gie*:

*wysoki, wysokie, drogi, drogie*

końcówka *-i*, *-ie* występuje również po spółgłoskach miękkich:

*głupi, głupie, tani, tanie*

- **Jaki? Jaka? Jakie?**
  To zaimki pytające o cechy osób lub rzeczy.

| | r. męski | r. żeński | r. nijaki |
|---|---|---|---|
| pytanie | ***Jaki*** jest ten student?<br>***Jaki*** jest ten mężczyzna? | ***Jaka*** jest ta studentka?<br>***Jaka*** jest ta pani? | ***Jakie*** jest to dziecko?<br>***Jakie*** jest to muzeum? |
| odpowiedź | Ten student jest ***sympatyczny.***<br>Ten mężczyzna jest ***wysoki.*** | Ta studentka jest ***sympatyczna***.<br>Ta pani jest ***wysoka***. | To dziecko jest ***sympatyczne***.<br>To muzeum jest ***interesujące***. |

## tab. 2 MIANOWNIK RZECZOWNIKÓW NIEMĘSKOOSOBOWYCH

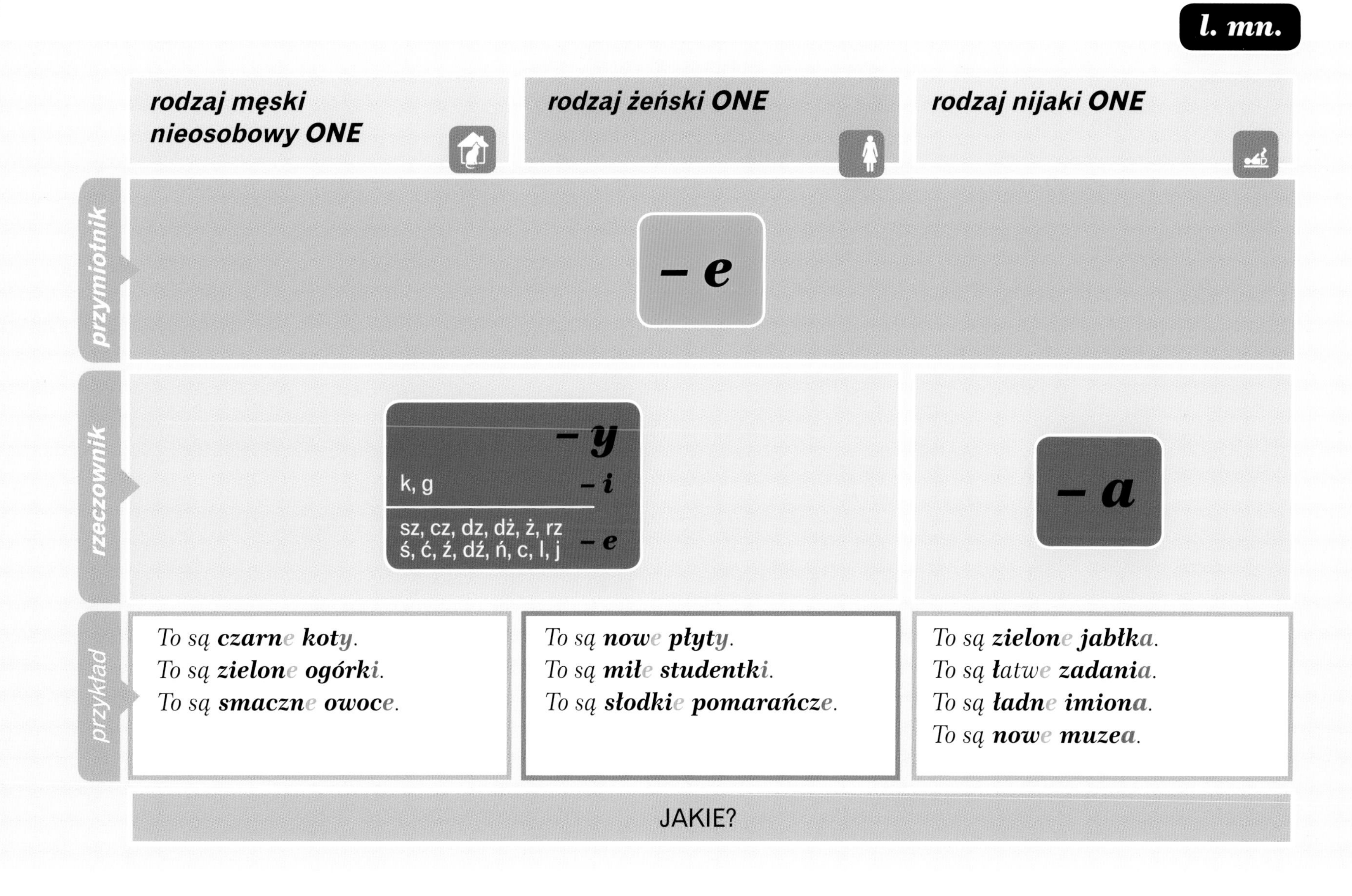

**l. mn.**

| | rodzaj męski nieosobowy ONE | rodzaj żeński ONE | rodzaj nijaki ONE |
|---|---|---|---|
| przymiotnik | – e | | |
| rzeczownik | – y<br>k, g – i<br>sz, cz, dz, dż, ż, rz, ś, ć, ź, dź, ń, c, l, j – e | | – a |
| przykład | To są **czarne koty**.<br>To są **zielone ogórki**.<br>To są **smaczne owoce**. | To są **nowe płyty**.<br>To są **miłe studentki**.<br>To są **słodkie pomarańcze**. | To są **zielone jabłka**.<br>To są **łatwe zadania**.<br>To są **ładne imiona**.<br>To są **nowe muzea**. |

JAKIE?

## Liczba rzeczownika

- **pojedyncza**
- **mnoga**
- **pluralia tantum** — rzeczowniki, które formalnie występują tylko w liczbie mnogiej, mimo znaczenia liczby pojedynczej. Zwykle mają one rodzaj niemęskoosobowy. Często są to nazwy geograficzne *(Tatry, Alpy, Himalaje, Katowice, Ateny, Helsinki)*; nazwy uroczystości lub specjalnych okresów *(chrzciny, wakacje, ferie)* oraz nazwy rzeczy składających się z symetrycznych części *(spodnie, nożyczki, drzwi, usta)*.
- **singularia tantum** — rzeczowniki posiadające wyłącznie liczbę pojedynczą, są to najczęściej pojęcia abstrakcyjne *(dobro, zło)* lub pojęcia kolektywne *(młodzież, odzież)*

## Rodzaj rzeczownika

W liczbie mnogiej wszystkie rzeczowniki przyporządkowujemy do dwóch grup rodzajowych: **męskoosobowej** i **niemęskoosobowej**.

# MIANOWNIK LICZBY MNOGIEJ
**rzeczowników niemęskoosobowych**

**I przypadek** ***Kto? Co?***

Do grupy niemęskoosobowej zaliczamy rzeczowniki rodzaju męskiego nieosobowego, żeńskiego i nijakiego oznaczające kobiety, dzieci, zwierzęta, rzeczy, zjawiska. Używamy do nich zaimka osobowego *one*, zaimka wskazującego *te*, *tamte* oraz zaimka pytającego *jakie?*, *które?*.

*psy, koty, samochody, domy*
*kobiety, dziewczyny, książki, ryby*
*dzieci, zwierzęta, kocięta, jabłka*

### ■ Rodzaj męski nieosobowy i rodzaj żeński

Rzeczowniki **męskie nieosobowe** oraz **żeńskie** w mianowniku liczby mnogiej przyjmują końcówki w zależności od zakończenia tematu. Temat sprawdzamy po odcięciu końcówki w mianowniku liczby pojedynczej: pies-ø, koń-ø, dom-ø, płaszcz-ø, kobiet-a, książk-a, pan-i, powieść-ø.

| | | |
|---|---|---|
| rzeczownik: | ***-y*** | dla rzeczowników zakończonych na spółgłoski twarde (z wyjątkiem *-k*, *-g*) |
| | ***-i*** | dla rzeczowników zakończonych na spółgłoski *-k*, *-g* |
| | ***-e*** | dla rzeczowników zakończonych na spółgłoski funkcjonalnie miękkie: *-sz*, *-cz*, *-dz*, *-dż*, *-ż*, *-rz*, na spółgłoski miękkie: *-ś*, *-ć*, *-ź*, *-dź*, *-ń* oraz na *-c*, *-l*, *-j* |
| przymiotnik: | ***-e*** | |

**alternacje spółgłoskowe**

| | |
|---|---|
| ś:si | łosoś - łososie |
| ć:ci | liść - liście |
| ź:zi | paź - pazie |
| dź:dzi | niedźwiedź - niedźwiedzie |
| ń:ni | koń - konie |

**alternacje samogłoskowe**

| | |
|---|---|
| ó:o | samochód - samochody; lód - lody |
| e:ø | pies - psy; ołówek - ołówki |
| ą:ę | wąż - węże; urząd - urzędy |

### ■ Rodzaj nijaki

rzeczownik: ***-a***
przymiotnik: ***-e***

**Temat** rzeczowników zakończonych w liczbie pojedynczej na *-ę* **ulega rozszerzeniu**.

*imię - imiona* — *zwierzę - zwierzęta*
*ramię - ramiona* — *szczenię - szczenięta*
*plemię - plemiona* — *prosię - prosięta*

Rzeczowniki pochodzenia łacińskiego zakończone na *-um*, które w liczbie pojedynczej są nieodmienne, w liczbie mnogiej odmieniają się przez przypadki.

*muzeum - muzea*
*centrum - centra*

### ■ Zaimki wskazujące i pytające

***te*, *tamte*, *jakie?*, *które?***

### ■ Rzeczowniki z nieregularną odmianą

a) rzeczowniki rodzaju żeńskiego zakończone na *-ść* oraz *-sz*, przyjmują końcówkę *-i* / *-y*

*kość - kości* — *mysz - myszy*
*złość - złości*
*miłość - miłości*

b) niektóre rzeczowniki twardotematowe obcego pochodzenia mają końcówkę *-e*, w tym wypadku końcówka ta nie jest zmiękczająca i nie prowadzi do alternacji

*seans - seanse*
*szansa - szanse*

c) rzeczownik *ręka* ma nietypową formę

*ręka - ręce*

d) rzeczownik *dzień* ma nieregularną końcówkę, a *tydzień* nieregularną zmianę tematu

*dzień - dni*
*tydzień - tygodnie*

e) rzeczowniki *śmieć* i *postać* oprócz końcówki regularnej *-e*, przyjmują końcówkę *-i*, która jest częściej używana:

*śmieć - śmieci / śmiecie*
*postać - postaci / postacie*

f) rzeczowniki rodzaju nijakiego: *dziecko, oko, ucho*

*dziecko - dzieci*
*oko - oczy*
*ucho - uszy*

# tab. 3 MIANOWNIK RZECZOWNIKÓW MĘSKOOSOBOWYCH

**l. mn.**

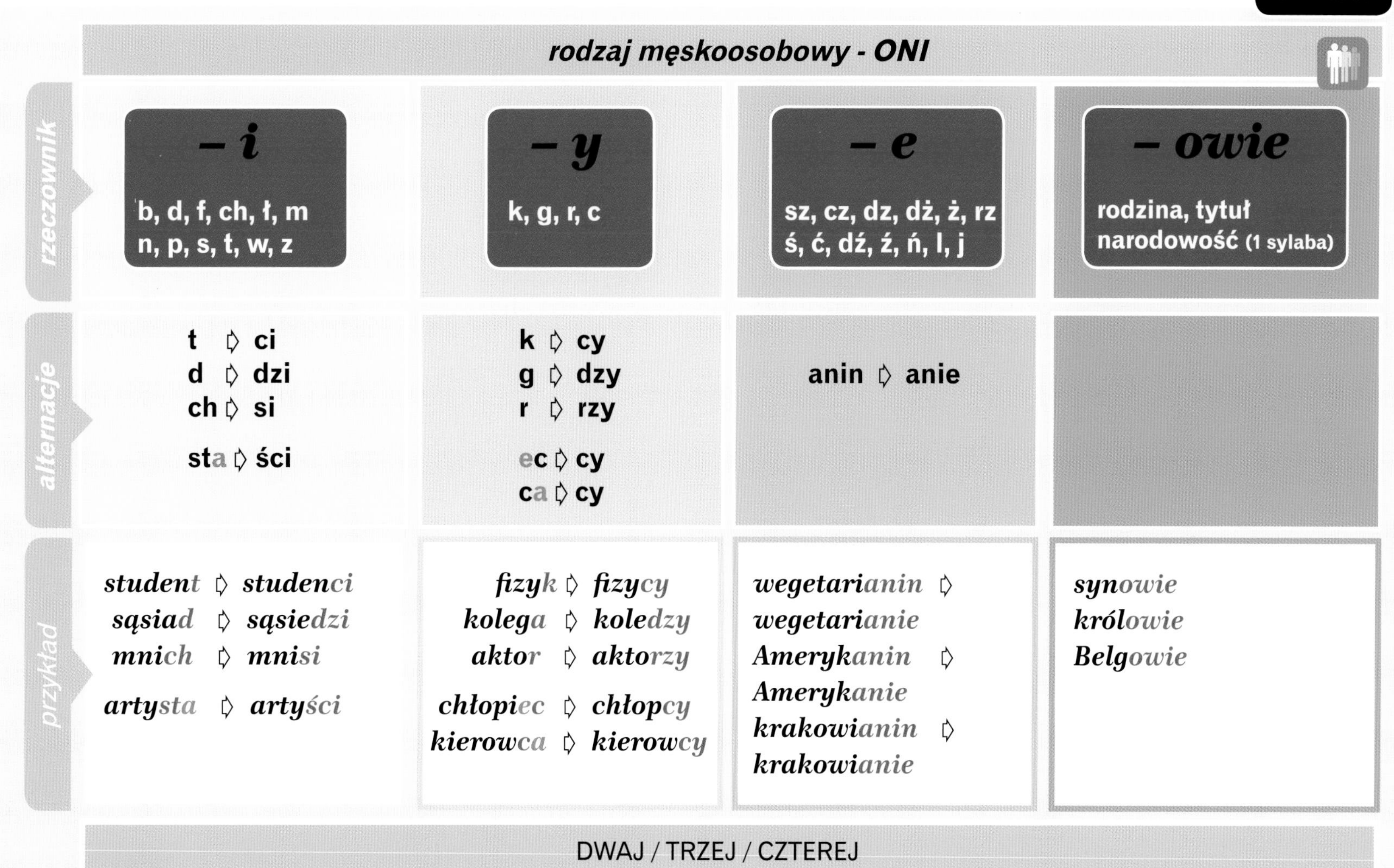

| rodzaj męskoosobowy - ONI | | | | |
|---|---|---|---|---|
| rzeczownik | **– i**<br>b, d, f, ch, ł, m<br>n, p, s, t, w, z | **– y**<br>k, g, r, c | **– e**<br>sz, cz, dz, dż, ż, rz<br>ś, ć, dź, ź, ń, l, j | **– owie**<br>rodzina, tytuł<br>narodowość (1 sylaba) |
| alternacje | t ⇨ ci<br>d ⇨ dzi<br>ch ⇨ si<br>sta ⇨ ści | k ⇨ cy<br>g ⇨ dzy<br>r ⇨ rzy<br>ec ⇨ cy<br>ca ⇨ cy | anin ⇨ anie | |
| przykład | *student ⇨ studenci*<br>*sąsiad ⇨ sąsiedzi*<br>*mnich ⇨ mnisi*<br>*artysta ⇨ artyści* | *fizyk ⇨ fizycy*<br>*kolega ⇨ koledzy*<br>*aktor ⇨ aktorzy*<br>*chłopiec ⇨ chłopcy*<br>*kierowca ⇨ kierowcy* | *wegetarianin ⇨ wegetarianie*<br>*Amerykanin ⇨ Amerykanie*<br>*krakowianin ⇨ krakowianie* | *synowie*<br>*królowie*<br>*Belgowie* |
| DWAJ / TRZEJ / CZTEREJ | | | | |

***Uwaga:*** *brat - bracia*
*człowiek - ludzie*
*ksiądz - księża*

**Rodzaj rzeczownika**

W mianowniku liczby mnogiej wszystkie rzeczowniki przyporządkowujemy do dwóch grup rodzajowych: **męskoosobowej** i **niemęskoosobowej**.

## MIANOWNIK LICZBY MNOGIEJ
**rzeczowników męskoosobowych**

**I przypadek** ***Kto? Co?***

Rodzaj męskoosobowy to rzeczowniki rodzaju męskiego oznaczające osoby płci męskiej lub grupy, w skład których wchodzi przedstawiciel płci męskiej. Używamy do nich zaimka osobowego *oni*, zaimka wskazującego *ci*, *tamci* oraz zaimka pytającego *jacy?*, *którzy?*.

*mężczyźni, chłopcy, studenci, lekarze, aktorzy, policjanci, uczniowie, ludzie*

- **końcówki rzeczownika**
Rzeczowniki męskie osobowe w mianowniku liczby mnogiej przyjmują końcówki w zależności od zakończenia tematu. Wyjątek stanowi końcówka *-owie*, która nie wiąże się z wygłosem, ale ze znaczeniem słowa:

| | |
|---|---|
| ***-i*** | rzeczowniki twardotematowe oprócz zakończonych na *-k*, *-g*, *-r* |
| ***-y*** | rzeczowniki zakończone na *-k*, *-g*, *-r*<br>rzeczowniki zakończone na *-ec* typu *chłopiec, Niemiec*<br>rzeczowniki zakończone na *-ca* typu *kierowca, obrońca, doradca* |
| ***-e*** | rzeczowniki zakończone na spółgłoski funkcjonalnie miękkie: *-sz*, *-cz*, *-dz*, *-dż*, *-ż*, *-rz*, na spółgłoski miękkie: *-ś*, *-ć*, *-ź*, *-dź*, *-ń* oraz na *-l*, *-j*, a także na *-anin* |
| ***-owie*** | rzeczowniki oznaczające tytuły, prestiżowe stanowiska i zawody, stopnie pokrewieństwa oraz jednosylabowe nazwy narodowości |

- **końcówki fakultatywne**
Niektóre rzeczowniki posiadają dwie formy. Jedna końcówka jest typowa dla zakończenia wyrazu, druga łączy się z funkcją słowa. Przy czym końcówka ***-owie*** podkreśla prestiż zawodu:

*profesorowie / profesorzy*
*inżynierowie / inżynierzy*
*biologowie / biolodzy*

- **rzeczowniki zakończone w liczbie pojedynczej na** *-a* typu *artysta, poeta, kolega*, które w liczbie pojedynczej odmieniają się jak rzeczowniki rodzaju żeńskiego oraz rzeczowniki typu *sędzia, hrabia* odmieniające się w liczbie pojedynczej jak przymiotnik - w liczbie mnogiej odmieniają się regularnie jak pozostałe rzeczowniki męskoosobowe.

*artyści, poeci, koledzy*
*sędziowie, hrabiowie*

- **rzeczowniki zakończone na** *-anin* tracą to rozszerzenie w liczbie mnogiej:

*Amerykanin - Amerykanie*
*Rosjanin - Rosjanie*
*wegetarianin - wegetarianie*

- **rzeczowniki z nieregularną odmianą**

*brat - bracia*
*ksiądz - księża*
*człowiek - ludzie*
*Hiszpan - Hiszpanie*
*Cygan - Cyganie*

- **alternacje spółgłoskowe**

| | | | |
|---|---|---|---|
| t:c | student - studenci | k:c | botanik - botanicy |
| d:dz | sąsiad - sąsiedzi | g:dz | kolega - koledzy |
| ch:s | Włoch - Włosi | r:rz | aktor - aktorzy |
| st:śc | artysta - artyści | | |

- **alternacje samogłoskowe**

| | |
|---|---|
| e:ø | chłopiec - chłopcy, Ukrainiec - Ukraińcy |
| a:e | sąsiad - sąsiedzi |

- **formy ekspresywne**
Czasem rzeczowniki mogą występować w formie deprecjatywnej (pogardliwej) lub poddane są zabiegom stylistycznym, by wyrazić różne emocje. Przyjmują wtedy końcówki rzeczowników niemęskoosobowych oraz łączą się z nieosobową formą zaimka i przymiotnika:

*ci dobrzy chłopi - te dobre chłopy*
*ci weseli Polacy - te wesołe Polaki*
*ci znani profesorowie - te znane profesory*

Istnieją rzeczowniki, które zazwyczaj lub wyłącznie używają tej właśnie formy:

*ten karzeł - te karły*
*ten klecha - te klechy*

- **odmiana przymiotnikowa**
Istnieje grupa rzeczowników męskoosobowych, które odmieniają się jak przymiotniki:

*myśliwy, służący*

# MIANOWNIK PRZYMIOTNIKÓW MĘSKOOSOBOWYCH

**l. mn.**

| | rodzaj męskoosobowy | | |
|---|---|---|---|
| przymiotnik | – i | | – y<br>k, g, r, c, cz, dz, ż |
| alternacje | t ⇨ ci<br>d ⇨ dzi<br>ł ⇨ li | sz ⇨ si<br>ch ⇨ si<br>st ⇨ ści<br>ony ⇨ eni<br>oły ⇨ eli | k ⇨ cy<br>g ⇨ dzy<br>r ⇨ rzy<br>cy = cy<br>czy = czy<br>dzy = dzy<br>ży = ży |
| przykład | *To są **punktualni fachowcy.***<br>*To są **leniwi pracownicy.***<br>*To są **grubi faceci.***<br>*To są **pracowici studenci.***<br>*To są **młodzi ludzie.***<br>*To są **mili profesorowie.*** | *To są **lepsi uczniowie.***<br>*To są **głusi pacjenci.***<br>*To są **barczyści sportowcy.***<br>*To są **zadowoleni kursanci.***<br>*To są **weseli Włosi.*** | *To są **aroganccy chłopcy.***<br>*To są **drodzy przyjaciele.***<br>*To są **dobrzy koledzy.***<br>*To są **obcy ludzie.***<br>*To są **uroczy mężczyźni.***<br>*To są **cudzy pracownicy.***<br>*To są **świeży adepci.*** |
| | JACY? | | |

*duży - duzi*

**Rodzaj przymiotnika**

W liczbie mnogiej wszystkie przymiotniki przyporządkowujemy do dwóch grup rodzajowych: **męskoosobowej** i **niemęskoosobowej**.

## MIANOWNIK LICZBY MNOGIEJ

**przymiotników męskoosobowych**

Przymiotniki męskoosobowe określają rzeczowniki rodzaju męskiego oznaczające osoby płci męskiej lub grupy, w skład których wchodzi przedstawiciel płci męskiej. Odpowiadają na pytanie *jacy?*.

- **końcówki przymiotnika**

*-i* przymiotniki twardotematowe oprócz zakończonych na *-k*, *-g*, *-r* oraz kończące się na spółgłoskę funkcjonalnie miękką *-sz*

*-y* przymiotniki, których temat kończy się na *-k*, *-g*, *-r* oraz na spółgłoski funkcjonalnie miękkie *-c*, *-cz*, *-dz*, *-ż*

- **alternacje spółgłoskowe**

t:c bogaty - bogaci
d:dz młody - młodzi
ł:l miły - mili
ch:s cichy - cisi
st:ść barczysty - barczyści
sn:śn jasny - jaśni
zn:źn przyjazny - przyjaźni
sł:śl dorosły - dorośli
zł:źl zły - źli
sz:s wyższy - wyżsi

k:c elegancki - eleganccy
g:dz ubogi - ubodzy
r:rz chory - chorzy

- **alternacje samogłoskowe**

o:e zmęczony - zmęczeni, wesoły - weseli

- **końcówki identyczne z liczbą pojedynczą**

cy = cy obcy = obcy
czy = czy uroczy = uroczy
dzy = dzy cudzy = cudzy
ży = ży świeży = świeży

(!) **wyjątek** duży - duzi

**Zaimek pytający: jaki? jaka? jakie?**

| | l. poj. | | | | l. mn. | |
|---|---|---|---|---|---|---|
| | r. męski | | r. żeński | r. nijaki | r. męskoosobowy | r. niemęskoosobowy |
| | *żywotny* | *nieżywotny* | | | | |
| M. | jaki? | jaki? | jaka? | jakie? | **jacy?** | **jakie?** |
| D. | jakiego? | jakiego? | jakiej? | jakiego? | jakich? | jakich? |
| C. | jakiemu? | jakiemu? | jakiej? | jakiemu? | jakim? | jakim? |
| B. | **jakiego?** | **jaki?** | jaką? | jakie? | **jakich?** | **jakie?** |
| N. | jakim? | jakim? | jaką? | jakim? | jakimi? | jakimi? |
| Msc. | jakim? | jakim? | jakiej? | jakim? | jakich? | jakich? |

**Zaimek wskazujący: ten, ta, to**

| | l. poj. | | | | l. mn. | |
|---|---|---|---|---|---|---|
| | r. męski | | r. żeński | r. nijaki | r. męskoosobowy | r. niemęskoosobowy |
| | *żywotny* | *nieżywotny* | | | | |
| M. | ten | ten | ta | to | **ci** | **te** |
| D. | tego | tego | tej | tego | tych | tych |
| C. | temu | temu | tej | temu | tym | tym |
| B. | **tego** | **ten** | tę | to | **tych** | **te** |
| N. | tym | tym | tą | tym | tymi | tymi |
| Msc. | tym | tym | tej | tym | tych | tych |

# DOPEŁNIACZ Kogo? Czego?

**l. poj.**

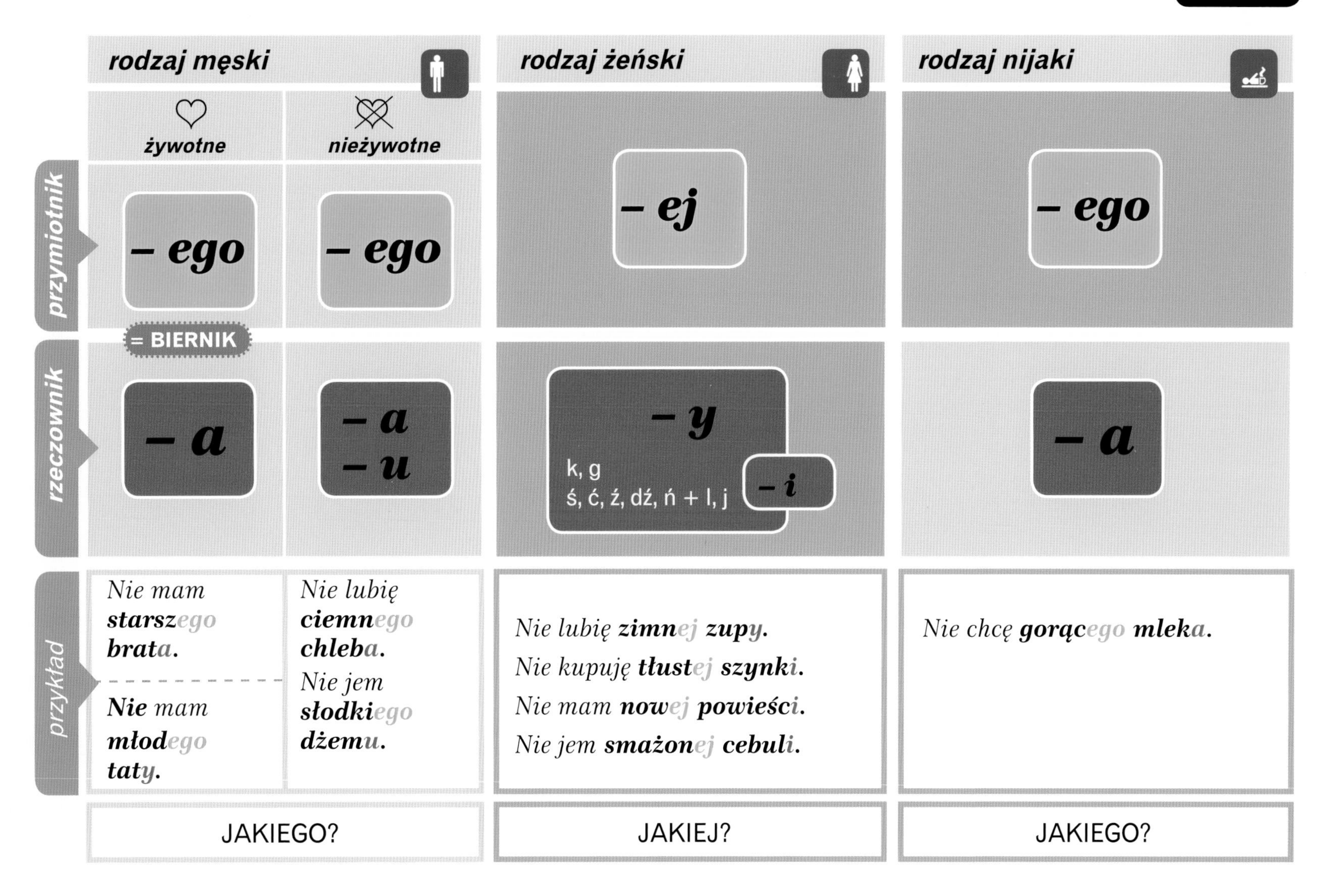

# DOPEŁNIACZ LICZBY POJEDYNCZEJ

**II przypadek** ***Kogo? Czego?***

## ■ Rodzaj męski

W dopełniaczu liczby pojedynczej istotne jest rozróżnienie rzeczowników rodzaju męskiego na dwie kategorie: **rzeczowniki żywotne**, to znaczy ludzi i zwierzęta oraz **nieżywotne**, czyli przedmioty, rośliny, zjawiska, nazwy czynności i pojęcia abstrakcyjne.

żywotny:

rzeczownik: ***-a***
przymiotnik: ***-ego***

nieżywotny:

rzeczownik: ***-a***
***-u***
przymiotnik: ***-ego***

- **dystrybucja końcówek**

Zasady użycia końcówek *-a* i *-u* dla rzeczowników nieżywotnych są dość skomplikowane, warto zapamiętać kilka reguł ich dystrybucji:

***-u***
- transport *(nie mam samochodu, roweru)*
- pojęcia abstrakcyjne *(nie ma problemu, hałasu, chaosu)*
- rzeczowniki zbiorowe *(nie ma lasu, tłumu, makaronu, ryżu, cukru)*
- substancje płynne i półpłynne *(bez soku, majonezu, ketchupu, kleju)*
- nazwy dni tygodnia

***-a***
- nazwy miesięcy
- nazwy sportów i gier
- tańce
- naczynia i sztućce
- narzędzia
- owoce i warzywa
- nazwy walut
- marki samochodów

- **końcówki fakultatywne**

Niektóre rzeczowniki nieżywotne posiadają dwie końcówki i obie formy są poprawne:
*krawata / krawatu*
*przystanka / przystanku*

- **alternacje**

ą:ę mąż - męża, dąb - dębu
e:ø ojciec - ojca, Niemiec - Niemca
o:ó stół - stołu, lód - lodu

- **dopełniacz a biernik**

Rzeczowniki żywotne w liczbie pojedynczej mają dopełniacz równy biernikowi.

## ■ Rodzaj żeński

rzeczownik: ***-y***
***-i*** po spółgłoskach *-k*, *-g*, po spółgłoskach miękkich *-ś*, *-ć*, *-ź*, *-dź*, *-ń* oraz *-l*, *-j*
przymiotnik: ***-ej***

## ■ Rodzaj nijaki

rzeczownik: ***-a***
przymiotnik: ***-ego***

## ■ Zaimki wskazujące i pytające

| r. męski | | r. żeński | r. nijaki |
|---|---|---|---|
| *żywotny* | *nieżywotny* | | |
| **tego** | | **tej** | **tego** |
| tam**tego** | | tam**tej** | tam**tego** |
| jaki**ego** | | jaki**ej** | jaki**ego** |

## Zasady użycia

a) negacja dopełnienia bliższego *(nie lubię sera, nie kocham Adama, nie mam dziewczyny)*
b) posiadanie (*samochód Tomka, dom Agnieszki, pies dziecka)*
c) określenia czasu *(to było pierwszego września, urodził się drugiego maja)*
d) ilości *(dużo ludzi, mało czasu, trochę wody)*
e) miary *(kilogram ziemniaków, litr mleka)*
f) opakowania *(paczka ciastek, butelka wody)*
g) czasowniki: *słuchać*, *szukać*, *używać*, *potrzebować*, *bać się*, *życzyć*, *pilnować*, *zapominać*, *brakować*
h) przyimki: *do*, *od*, *z*, *u*, *koło*, *obok*, *naprzeciwko*, *na wprost*, *bez*, *dla*, *dookoła* (*dokoła*), *oprócz*, *około*, *podczas*, *sprzed*, *wśród*, *zza*
i) wyrażenia przyimkowe: *z powodu*, *w razie*, *w ciągu*, *w czasie*
j) przysłówki: *blisko*, *niedaleko*

- **przykładowe ilości, miary, opakowania i naczynia**

| ILOŚCI | MIARY | OPAKOWANIA I NACZYNIA |
|---|---|---|
| *dużo studentów* | *ćwierć* | *paczka kawy* |
| *mało nauczycieli* | *gram* | *butelka wina* |
| *kilka osób* | *dekagram* | *puszka sardynek* |
| *kilkanaście książek* | *kilogram* | *karton mleka* |
| *trochę mleka* | *litr* | *słoik dżemu* |
| *niewiele pieniędzy* | *milimetr* | *kubek wody* |
| *kawałek czekolady* | *centymetr* | *szklanka soku* |
| *20 plasterków szynki* | *metr* | *filiżanka herbaty* |
| | *kilometr* | *kieliszek wina* |

- **Genetivus partitivus**

W sytuacjach kiedy ilość jest domyślna, a mamy na myśli część a nie całość, również używamy dopełniacza.

*Kupiłem (kawałek) sera, (bochenek) chleba, (trochę) cebuli.*

# tab. 6 DOPEŁNIACZ Kogo? Czego?

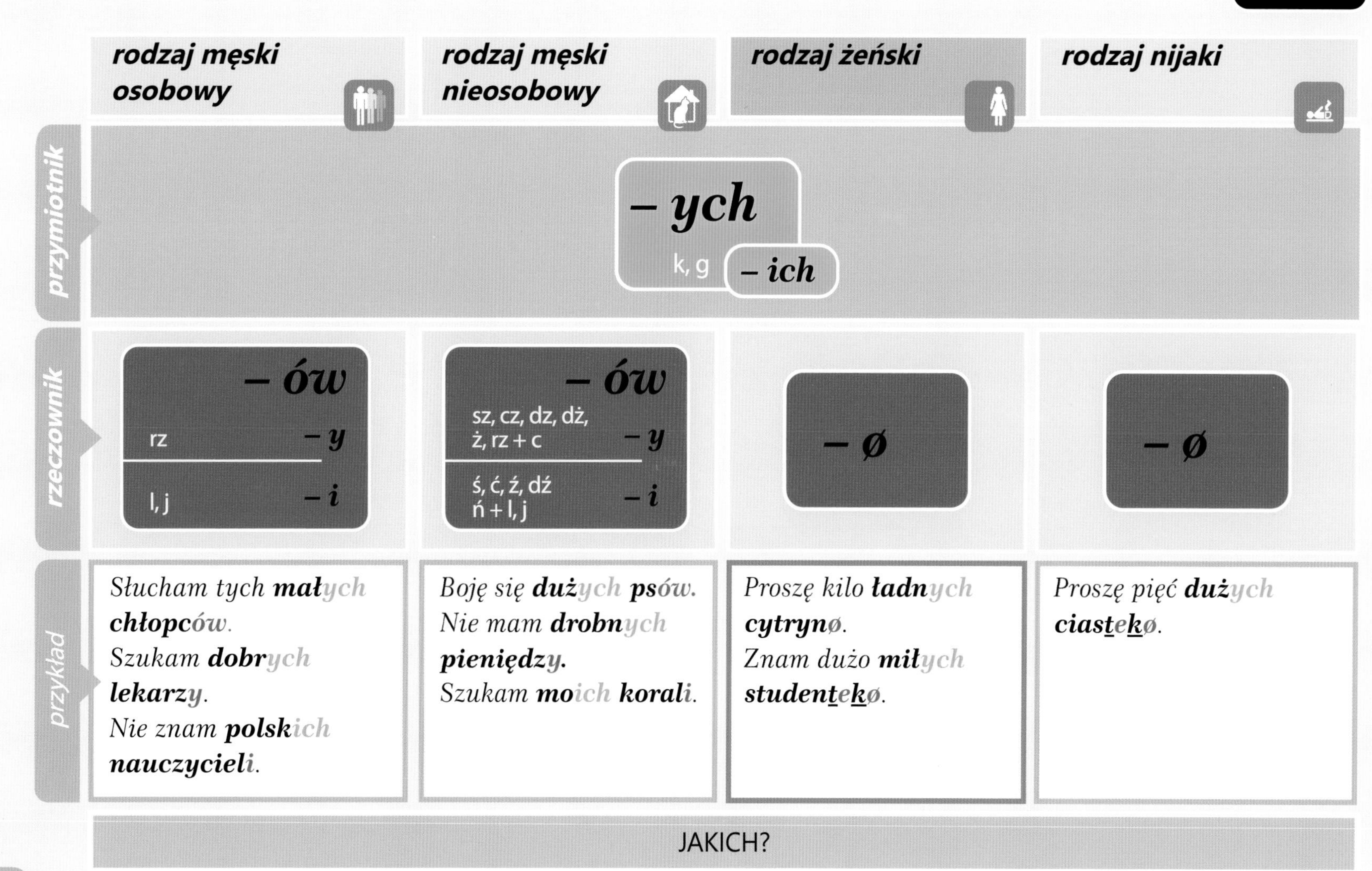

| | rodzaj męski osobowy | rodzaj męski nieosobowy | rodzaj żeński | rodzaj nijaki |
|---|---|---|---|---|
| przymiotnik | – ych<br>k, g – ich | | | |
| rzeczownik | – ów<br>rz – y<br>l, j – i | – ów<br>sz, cz, dz, dż, ż, rz + c – y<br>ś, ć, ź, dź ń + l, j – i | – ø | – ø |
| przykład | *Słucham tych **mał**ych **chłopców**.*<br>*Szukam **dobr**ych **lekarzy**.*<br>*Nie znam **polsk**ich **nauczycieli**.* | *Boję się **duż**ych **psów**.*<br>*Nie mam **drobn**ych **pieniędzy**.*<br>*Szukam **mo**ich **korali**.* | *Proszę kilo **ładn**ych **cytrynø**.*<br>*Znam dużo **mił**ych **studentekø**.* | *Proszę pięć **duż**ych **ciastekø**.* |
| | JAKICH? | | | |

*Dla rzeczowników rodzaju żeńskiego zakończonych w mianowniku l. poj. na spółgłoskę:*
**DOPEŁNIACZ l. poj. = DOPEŁNIACZ l. mn.**

# DOPEŁNIACZ LICZBY MNOGIEJ

**II przypadek** *Kogo? Czego?*

## Rodzaj męski

rzeczownik: ***-ów***

***-y*** dla rzeczowników niemęskoosobowych zakończonych na spółgłoski funkcjonalnie miękkie: *-sz*, *-cz*, *-dz*, *-dż*, *-ż*, *-rz* oraz *-c*; dla męskoosobowych tylko po *-rz* dodatkowo może wystąpić fakultatywnie w słowach zakończonych na *-sz* (*listonoszy* a. *listonoszów*)

***-i*** dla rzeczowników niemęskoosobowych zakończonych na spółgłoski miękkie: *-ś*, *-ć*, *-ź*, *-dź*, *-ń* oraz na *-l*, *-j*; dla męskoosobowych tylko po *-l* oraz może wystąpić jako fakultatywna końcówka dla słów zakończonych na *-j* (*złodziei* a. *złodziejów*)
Uwaga! Wyjątek: *gości.*

przymiotnik: ***-ych***

***-ich*** po spółgłoskach miękkich oraz *-k*, *-g* (*tanich, wysokich, drogich*)

- **dystrybucja końcówek**
Obecnie końcówka *-ów* jest dominująca i często występuje również po spółgłoskach funkcjonalnie miękkich oraz coraz częściej po *-c*, *-l*, *-j*:

*meczów* *koców* *palców* *sztućców*
*widelców* *esejów* *krajów* *konsulów*

- **końcówki fakultatywne**
Niektóre rzeczowniki nieżywotne posiadają dwie poprawne formy.

*pokoi / pokojów* *koszy / koszów*
*materacy / materaców* *funduszy / funduszów*
*płaszczy / płaszczów* *lokali / lokalów*

- **końcówka zerowa**
Niektóre rzeczowniki oznaczające mieszkańców miast i regionów zakończone w mianowniku na *-anin*, w dopełniaczu liczby mnogiej ulegają redukcji i mają końcówkę zerową.

*mieszczanin – mieszczan* *warszawianin – warszawian*
*krakowianin – krakowian* *Pomorzanin – Pomorzan*

Uwaga! Wyjątki: *Amerykanów, Meksykanów.*

Rzeczownik *mężczyzna* ma w dopełniaczu i bierniku liczby mnogiej końcówkę zerową:
*mężczyzna – mężczyzn*

- **alternacje**
ą:ę miesiąc – miesięcy, pieniądz – pieniędzy

- **dopełniacz a biernik**
Dla rodzaju męskoosobowego dopełniacz i biernik liczby mnogiej mają identyczne formy.

## Rodzaj żeński i rodzaj nijaki

rzeczownik: ***-ø***
przymiotnik: ***-ych***

***-ich*** po spółgłoskach miękkich oraz *-k*, *-g* (*tanich, wysokich, drogich*)

- **ruchome *-e***
Jeśli na końcu wyrazu jest grupa spółgłosek, to wstawiamy tam tak zwane ruchome *-e*, żeby uniknąć trudnych do wymówienia zbitek spółgłoskowych:
*książka* → *książek*
*jajka* → *jajek*

- **alternacje**
o:ó droga – dróg, krowa – krów

- **rzeczowniki żeńskie zakończone na *-nia, -alnia, -arnia***
Grupa tych rzeczowników przyjmuje w dopełniaczu liczby mnogiej końcówkę *-i*, choć u niektórych można też spotkać formę z regularną końcówką *-ø*:

*kuchnia – kuchni / kuchen* *pralnia – pralni*
*spiżarnia – spiżarni / spiżarń*
*cukiernia – cukierni / cukierń*

- **rzeczowniki żeńskie zakończone na spółgłoskę oraz obcego pochodzenia**
Dopełniacz liczby mnogiej tych rzeczowników jest równy dopełniaczowi liczby pojedynczej. Rzeczowniki obcego pochodzenia zakończone na *-ja* oraz *-ia* mają końcówkę *-i* lub *-ii*.

*złość – tej złości – tych złości* *epopeja – tej epopei – tych epopei*
*kość – tej kości – tych kości* *aleja – tej alei – tych alei*
*postać – tej postaci – tych postaci* *misja – tej misji – tych misji*
*radość – tej radości – tych radości* *komedia – tej komedii – tych komedii*
*noc – tej nocy – tych nocy* *teoria – tej teorii – tych teorii*
*mysz – tej myszy – tych myszy* *akademia – tej akademii – tych akademii*

- **rzeczowniki nijakie zakończone na *-um***
W rodzaju nijakim rzeczowniki zakończone na *-um* w dopełniaczu liczby mnogiej mają końcówkę *-ów.*
*muzeum* → *muzeów*
*centrum* → *centrów*
*hospicjum* → *hospicjów*

## Zaimki wskazujące i pytające

***tych, tamtych, jakich?, których?***

### Dopełniacz po liczebnikach

W języku polskim tylko liczebniki *dwa, trzy, cztery* lub kończące się na *dwa, trzy, cztery* (22, 33, 194...) łączą się z **mianownikiem** liczby mnogiej. Natomiast po liczebnikach *5, 6, 7* i kolejnych używamy **dopełniacza** liczby mnogiej.

| | | |
|---|---|---|
| **1** | **+ mianownik l. poj.** | tydzień, miesiąc, rok, złoty, grosz |
| **2, 3, 4** | **+ mianownik l. mn.** | tygodnie, miesiące, lata, złote, grosze |
| **5, 6, 7** | **+ dopełniacz l. mn.** | tygodni, miesięcy, lat, złotych, groszy |

Uwaga! Liczebniki 12, 13, 14 kończą się na *-naście* i łączą się z dopełniaczem.

## CELOWNIK Komu? Czemu?

**l. poj.**

| | rodzaj męski | rodzaj żeński | rodzaj nijaki |
|---|---|---|---|
| przymiotnik | – emu | – ej | – emu |
| rzeczownik | – owi<br>– u zwykle jednosylabowe | – e<br>– i<br>– y | – u |
| przykład | *Proszę to dać **t**emu **now**emu **student**owi.*<br>*Czy możesz pomóc **t**emu **mał**emu **chłopc**u?* | ***Moj**ej **mami**e brak sił.*<br>***Mał**ej **Kas**i na tym zależy.*<br>***Chor**ej **pan**i **Róż**y jest zimno.* | ***Mał**emu **dzieck**u nie wolno dawać zapałek!* |
| | JAKIEMU? | JAKIEJ? | JAKIEMU? |

Sprawdź, czy umiesz. Zrób ćwiczenia na:

# CELOWNIK LICZBY POJEDYNCZEJ

**III przypadek** ***Komu? Czemu?***

## ■ Rodzaj męski

rzeczownik: ***-owi***
***-u***
przymiotnik: ***-emu***

- **dystrybucja końcówek**
Końcówką dominującą jest końcówka *-owi*. Natomiast końcówka *-u* występuje w niewielu wyrazach, często są to słowa jednosylabowe. Najlepiej je zapamiętać.

*pan - panu*
*brat - bratu*
*Bóg - Bogu*
*ksiądz - księdzu*
*książę - księciu*
*czart - czartu*
*chłop - chłopu*
*pies - psu*
*lew - lwu*
*kot - kotu*
*świat - światu*
*ojciec - ojcu*
*chłopiec - chłopcu*
*diabeł - diabłu*

- **końcówki fakultatywne**
Niektóre rzeczowniki posiadają dwie poprawne formy.

*orłu - orłowi*
*osłu - osłowi*
*katu - katowi*
*człeku - człekowi*

Często forma z końcówką *-owi* proponowana jest w użyciach metaforycznych.
Na przykład mówiąc o uczniach powiemy:

*Wszyscy przyglądali się naszemu klasowemu orłowi.*
*Powtarzam ciągle temu osłowi, żeby zaczął się uczyć, a on nie chce.*

- **rzeczowniki *dzień* i *rok***
Często w przypadku tych rzeczowników spotykamy się z błędną końcówką *-u*, gdyż są włączane do grupy wyrazów jednosylabowych. Natomiast oba te rzeczowniki przyjmują końcówkę *-owi*:

*dzień - dniowi*
*rok - rokowi*

## ■ Rodzaj żeński

rzeczownik: ***-e*** dla rzeczowników zakończonych na spółgłoski twarde
***-y*** dla rzeczowników zakończonych na spółgłoski funkcjonalnie miękkie: *-sz*, *-cz*, *-dz*, *-dż*, *-ż*, *-rz* oraz na *-c*
***-i*** dla rzeczowników zakończonych na spółgłoski miękkie: *-ś*, *-ć*, *-ź*, *-dź*, *-ń* oraz na *-l*, *-j*
przymiotnik: ***-ej***

- **alternacje**

| p | b | f | w | m | n | s | z | t | d | r | ł | k | g | ch |
|---|---|---|---|---|---|---|---|---|---|---|---|---|---|---|
| pie | bie | fie | wie | mie | nie | sie | zie | cie | dzie | rze | le | ce | dze | sze |

p:pi Europa - Europie
b:bi torba - torbie
f:fi żyrafa - żyrafie
w:wi kawa - kawie
m:mi mama - mamie
n:ni wanna - wannie
s:si trasa - trasie
z:zi koza - kozie

t:ci gazeta - gazecie
d:dzi woda - wodzie
r:rz góra - górze
ł:l szkoła - szkole

k:c Polska - Polsce
g:dz droga - drodze
ch:sz mucha - musze

- **celownik a inne przypadki**
Dla rodzaju żeńskiego **celownik** i **miejscownik** liczby pojedynczej mają identyczne formy. Dotyczy to również rzeczowników męskich o odmianie żeńskiej *(tacie, artyście, koledze, kierowcy)*. Rzeczowniki zakończone na spółgłoski miękkie, funkcjonalnie miękkie oraz *-c*,*-l*, *-j*, które w celowniku mają końcówkę *-i*, *-y*, są równe dopełniaczowi liczby pojedynczej.

## ■ Rodzaj nijaki

rzeczownik: ***-u***
przymiotnik: ***-emu***

## ■ Zaimki wskazujące i pytające

| r. męski | r. żeński | r. nijaki |
|---|---|---|
| **temu**<br>tam**temu**<br>jaki**emu** | **tej**<br>tam**tej**<br>jaki**ej** | **temu**<br>tam**temu**<br>jaki**emu** |

## Zasady użycia

Celownik to najrzadziej używany przypadek, zwykle oznacza dopełnienie dalsze *(Podaj ojcu gazetę. Pożycz koleżance zeszyt.)*. Łączy się z nielicznymi przyimkami. Dokładniejsze zasady jego użycia są podane na tablicy nr 8.

## tab. 8 CELOWNIK Komu? Czemu?

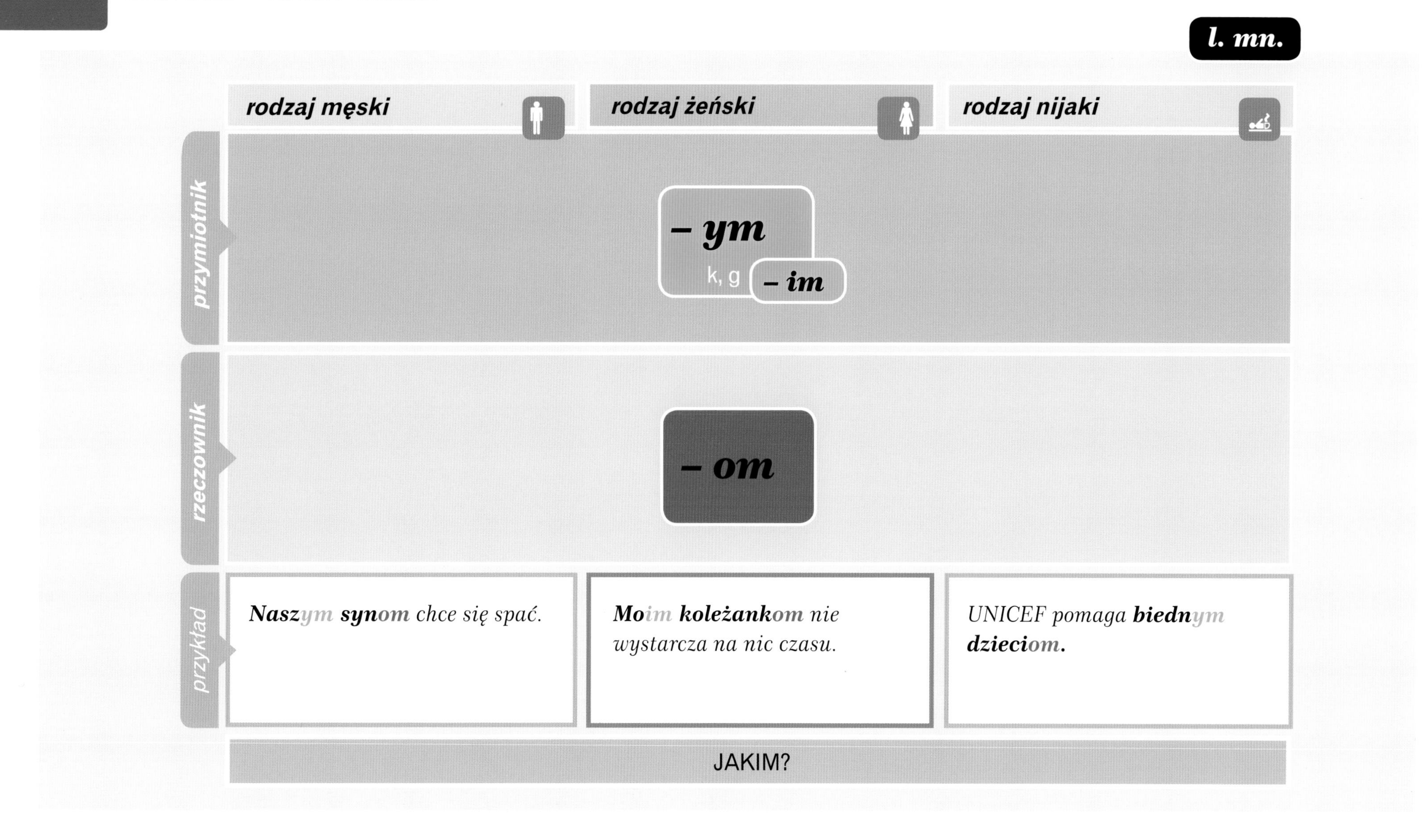


Sprawdź, czy umiesz. Zrób ćwiczenia na:

## CELOWNIK LICZBY MNOGIEJ

**III przypadek** ***Komu? Czemu?***

**■ Rodzaj męski, żeński i nijaki**

W liczbie mnogiej celownik we wszystkich rodzajach ma identyczne końcówki.
rzeczownik: ***-om***
przymiotnik: ***-ym***
***-im*** po spółgłoskach miękkich oraz *-k*, *-g* *(tanim, wysokim, drogim)*

**■ Zaimki wskazujące i pytające**

***tym***, ***tamtym***, ***jakim?***

**Zasady użycia**

a) jako dopełnienie dalsze m.in. po czasownikach:

| | |
|---|---|
| dziękować | *Dziękuję państwu za przybycie.* |
| pomagać | *Zawsze pomagam młodszemu bratu.* |
| dawać | *Babcia często daje nam prezenty.* |
| oddawać | *Czy mógłbyś oddać tę książkę Agnieszce?* |
| podawać | *Proszę to podać panu Andrzejowi.* |
| rozdawać | *Rozdawali ulotki przechodzącym ludziom.* |
| przynosić | *Czy możesz przynieść mi okulary?* |
| pożyczać | *Czasem pożyczamy pieniądze sąsiadowi.* |
| darować | *Podarował nam przepiękny album.* |
| kupować | *Kup ojcu gazetę!* |
| sprzedawać | *Sprzedał mi pan zepsute pomidory!* |
| kraść | *Ktoś ukradł mojemu bratu samochód.* |
| przedstawiać | *Chciałbym przedstawić panu moją żonę.* |
| przypominać | *Przypomnijcie kolegom, że jutro piszecie test.* |
| ufać | *Zawsze mogę ufać mojemu rodzeństwu.* |
| wierzyć | *Nie wierz temu podejrzanemu mężczyźnie!* |
| wybaczać | *Nie chciał wybaczyć swojej dziewczynie.* |
| odmawiać | *Jak można odmówić pomocy komuś, kto jej potrzebuje?!* |
| przyglądać się | *Przyglądał się z uwagą każdemu eksponatowi.* |
| opowiadać | *Co wieczór opowiadał dzieciom bajki.* |
| mówić | *Mówiłam ci, żebyś tego nie robił!* |
| tłumaczyć | *Długo tłumaczył uczniom nowy problem gramatyczny.* |
| kibicować | *Kibicował tej drużynie od lat.* |
| szkodzić | *Alkohol szkodzi zdrowiu.* |
| zazdrościć | *Zazdroszczę mojej koleżance pięknych włosów.* |
| podobać się | *Studentom podobała się lekcja.* |
| smakować | *Zaproszonym gościom bardzo smakował poczęstunek.* |
| życzyć | *Życzę pani wszystkiego najlepszego!* |
| dziwić się | *Dziwię się twojemu szefowi, że toleruje takie zachowanie.* |
| dokuczać | *Dokuczał wszystkim dziewczynkom w klasie.* |

Powyższe czasowniki są podane w aspekcie niedokonanym, natomiast celownik występuje również po ich formie dokonanej, jak widać w niektórych przykładach.

b) wyrażenia bezpodmiotowe typu: *zimno mi, gorąco mi, smutno mi, przykro mi, żal mi, dobrze mi, wesoło mi* - gdzie zaimek osobowy w celowniku oznacza nosiciela danego stanu

c) przyimki: *przeciw / przeciwko*, *dzięki*, *wbrew*, *naprzeciw*, *ku*

d) wyrażenia przyimkowe: *na przekór*, *na złość*

*Wszyscy byli przeciw / przeciwko nowym reformom.*
*Andrzej czuł, że cała rodzina jest przeciw / przeciwko niemu.*
*Skończył studia dzięki rodzicom.*
*On często postępuje wbrew logice i zasadom prawdopodobieństwa.*
*Wyszedł naprzeciw dzieciom, żeby nie zabłądziły we mgle.*
*Słońce chyliło się ku zachodowi.*
*Zrobił to na przekór wszystkim.*
*Na złość siostrze opowiedziała rodzicom o całej awanturze.*

- **celownik a dopełniacz**

Po niektórych czasownikach zamiast dopełnienia dalszego w celowniku można używać przyimka *dla* z dopełniaczem.

| | |
|---|---|
| *Kupiłem to mamie.* | *Kupiłem to dla mamy.* |
| *Przyniosłem to dzieciom.* | *Przyniosłem to dla dzieci.* |

## tab. 9 BIERNIK Kogo? Co?

**l. poj.**

| | rodzaj męski – żywotne | rodzaj męski – nieżywotne | rodzaj żeński | rodzaj nijaki |
|---|---|---|---|---|
| przymiotnik | **– ego** | **– y**<br>k, g **– i**<br>= MIANOWNIK | **– ą** | **– e**<br>= MIANOWNIK |
| rzeczownik | **– a** | **– ø** | **– ę** | **– o**<br>**– e**<br>**– ę**<br>**– um** |
| przykład | Mam **inteligentnego brata.**<br>Mam **czarnego kota.**<br>Mam **dobrego tatę.** | Mam **wolny czasø.**<br>Mam **niebieski sweterø.** | Znam **twoją siostrę.**<br>Czytam **ciekawą książkę.** | Mam **sportowe auto.**<br>Jem **dobre śniadanie.**<br>Masz **ładne imię.**<br>Lubię to **nowe centrum handlowe.** |
| | JAKIEGO? | JAKI? | JAKĄ? | JAKIE? |

# BIERNIK LICZBY POJEDYNCZEJ

**IV przypadek** *Kogo? Co?*

## ■ Rodzaj męski

W bierniku liczby pojedynczej istotne jest rozróżnienie rzeczowników rodzaju męskiego na dwie kategorie: **rzeczowniki żywotne**, to znaczy ludzi i zwierzęta oraz **nieżywotne**, czyli przedmioty, rośliny, zjawiska, nazwy czynności i pojęcia abstrakcyjne.

żywotny:

rzeczownik: ***-a***
przymiotnik: ***-ego***

nieżywotny:

rzeczownik: ***-ø***
przymiotnik: ***-y***
***-i*** po spółgłoskach miękkich oraz *-k*, *-g* *(tani, wysoki, drogi)*

• ① **wyjątki**

Część rzeczowników męskich nieżywotnych przyjmuje w bierniku końcówkę *-a*, czyli formę równą dopełniaczowi. Są to między innymi:

- owoce i warzywa*
  *proszę banana, pomidora, ogórka*
- sporty
  *gram w tenisa, w golfa, w brydża*
- tańce
  *tańczę walca, poloneza, mazurka*
- marki samochodów
  *mam fiata, opla, mercedesa*
- nazwy walut
  *mam funta, dolara*
- inne
  *palę papierosa, piję szampana, jem hamburgera*

* Forma potoczna, która stała się formą progresywną.

## ■ Rodzaj żeński

rzeczownik: ***-ę***
przymiotnik: ***-ą***

• ① **wyjątki**

Rzeczownik *pani* ma końcówkę *-ą*, natomiast zaimek wskazujący *ta* przyjmuje końcówkę *-ę*.

*pani - panią* *ta - tę*

## ■ Rodzaj nijaki

rzeczownik: ***-o***, ***-e***, ***-ę*** oraz ***-um***
przymiotnik: ***-e***

## Biernik a inne przypadki

Rzeczowniki męskie żywotne w liczbie pojedynczej mają biernik równy dopełniaczowi. Natomiast biernik rzeczowników męskich nieżywotnych, rzeczowników żeńskich zakończonych na spółgłoskę *(noc, powieść)* oraz rzeczowników nijakich jest równy mianownikowi.

## ■ Zaimki wskazujące i pytające

| r. męski | | r. żeński | r. nijaki |
|---|---|---|---|
| *żywotny* | *nieżywotny* | | |
| t**ego** | ten | t**ę** | t**o** |
| tamt**ego** | tamten | tamt**ą** | tamt**o** |
| jaki**ego** | jak**i** | jak**ą** | jak**ie** |

## Zasady użycia

a) dopełnienie bliższe *(lubię coś, mam coś, kocham kogoś, widzę kogoś...)*
b) przyimki: *przez*, *na*, *o*, *po*, *pod*, *nad*, *za*, *przed*, *między*, *ponad*, *poza*, *w*
c) wyrażenia przyimkowe: *ze względu na*, *bez względu na*, *z uwagi na*, *w zamian za*

• ① **uwaga**

Przyimki łączące się z biernikiem mogą łączyć się też z innymi przypadkami w zależności od czasownika, który je poprzedza. Tylko przyimek *przez* łączy się jedynie z biernikiem. Pozostałe przyimki łączą się z biernikiem po czasownikach ruchu oraz po wyrażeniach typu: *czekam na*, *pytam o*, *mam ochotę na*.

## tab. 10 BIERNIK Kogo? Co?

**l. mn.**

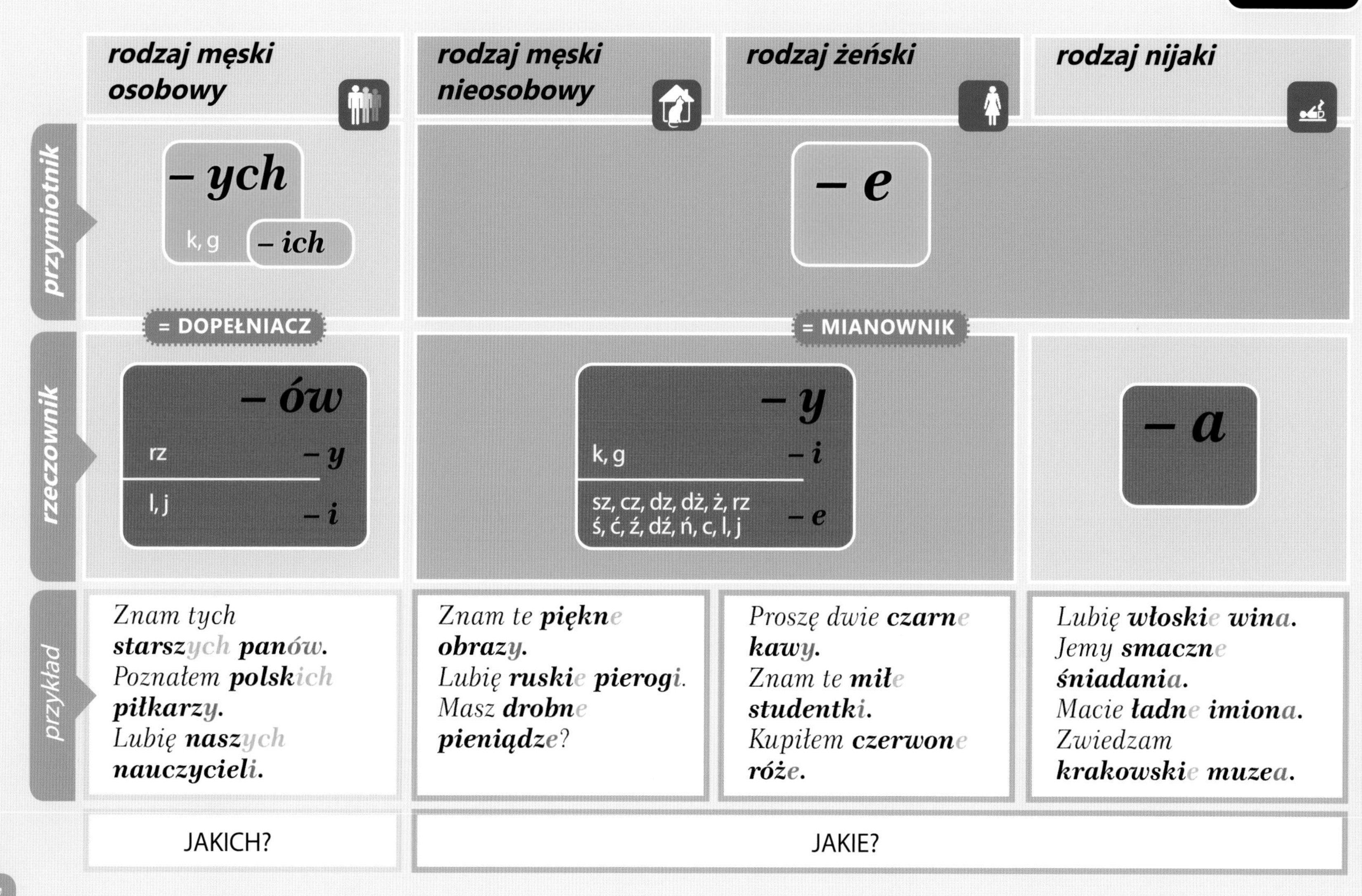

| | rodzaj męski osobowy | rodzaj męski nieosobowy | rodzaj żeński | rodzaj nijaki |
|---|---|---|---|---|
| przymiotnik | **– ych**<br>k, g **– ich** | **– e** | | |
| | = DOPEŁNIACZ | = MIANOWNIK | | |
| rzeczownik | **– ów**<br>rz **– y**<br>l, j **– i** | **– y**<br>k, g **– i**<br>sz, cz, dz, dż, ż, rz ś, ć, ź, dź, ń, c, l, j **– e** | | **– a** |
| przykład | *Znam tych **starszych panów**. Poznałem **polskich piłkarzy**. Lubię **naszych nauczycieli**.* | *Znam te **piękne obrazy**. Lubię **ruskie pierogi**. Masz **drobne pieniądze**?* | *Proszę dwie **czarne kawy**. Znam te **miłe studentki**. Kupiłem **czerwone róże**.* | *Lubię **włoskie wina**. Jemy **smaczne śniadania**. Macie **ładne imiona**. Zwiedzam **krakowskie muzea**.* |
| | JAKICH? | JAKIE? | | |

# BIERNIK LICZBY MNOGIEJ

**IV przypadek** *Kogo? Co?*

**Rodzaj rzeczownika**

W bierniku liczby mnogiej istotne jest rozróżnienie rzeczowników na dwie kategorie. **Rzeczowniki męskoosobowe** oznaczające osoby płci męskiej lub grupy, w skład których wchodzi przedstawiciel płci męskiej (oni). Drugą grupę stanowią **rzeczowniki niemęskoosobowe** (męski nieosobowy, żeński i nijaki), czyli kobiety, zwierzęta, przedmioty, rośliny, zjawiska, nazwy czynności i pojęcia abstrakcyjne (one).

**■ Rodzaj męskoosobowy**

rzeczownik: ***-ów***

***-y*** dla rzeczowników zakończonych na *-rz* oraz może wystąpić fakultatywnie w słowach zakończonych na *-sz (kustoszy a. kustoszów)*

***-i*** dla rzeczowników zakończonych na *-l* oraz może wystąpić jako fakultatywna końcówka dla słów zakończonych na *-j (złodziei a. złodziejów)*
Uwaga! Wyjątek: *gości.*

przymiotnik: ***-ych***

***-ich*** po spółgłoskach miękkich oraz *k, g (tanich, wysokich, drogich)*

**■ Rodzaj niemęskoosobowy**

rzeczownik:

**r. męski nieosobowy i żeński**

***-y*** dla rzeczowników zakończonych na spółgłoski twarde (z wyjątkiem *-k, -g)*

***-i*** dla rzeczowników zakończonych na spółgłoski *-k, -g*

***-e*** dla rzeczowników zakończonych na spółgłoski funkcjonalnie miękkie: *-sz, -cz, -dz, -dż, -ż, -rz,* na spółgłoski miękkie: *-ś, -ć, -ź, -dź, -ń* oraz na *-c, -l, -j*

**r. nijaki**

***-a***

przymiotnik: ***-e***

**■ Zaimki wskazujące i pytające**

| | |
|---|---|
| ***tych, tamtych, jakich, których?*** | r. męskoosobowy |
| ***te, tamte, jakie?, które?*** | r. niemęskoosobowy |

**Biernik a inne przypadki**

Biernik **rzeczowników męskoosobowych** jest równy **dopełniaczowi** liczby mnogiej, natomiast **rzeczowników niemęskoosobowych** jest równy **mianownikowi** liczby mnogiej.

**Rekcja liczebnika**

W języku polskim tylko liczebniki *dwa, trzy, cztery* lub kończące się na *dwa, trzy, cztery* (np. 22, 33, 194...) łączą się z **biernikiem** liczby mnogiej. Po liczebnikach 5, 6, 7 i kolejnych używamy **dopełniacza** liczby mnogiej.

| | | |
|---|---|---|
| *Proszę dwie kawy.* | | *Proszę pięć kaw.* |
| *Mam trzy grosze.* | *ale* | *Mam sześć groszy.* |
| *Proszę cztery znaczki.* | | *Proszę osiem znaczków.* |
| *Kupiłem dwa jabłka.* | | *Kupiłem dwanaście jabłek.* |
| *Mam dwadzieścia cztery lata.* | | *Mam trzydzieści lat.* |

# NARZĘDNIK (z) Kim? (z) Czym?

**l. poj.**

| | rodzaj męski | rodzaj żeński | rodzaj nijaki |
|---|---|---|---|
| przymiotnik | ***– ym*** (k, g ***– im***) | ***– ą*** | ***– ym*** (k, g ***– im***) |
| rzeczownik | i ***– em*** | ***– ą*** | i ***– em*** |
| przykład | *On jest **dobrym studentem**.*<br>*On jest **wysokim mężczyzną**.* | *Ona jest **dobrą studentką**.* | *Ono jest **dobrym dzieckiem**.* |
| | JAKIM? | JAKĄ? | JAKIM? |

*Sprawdź, czy umiesz. Zrób ćwiczenia na:*

e-polish.eu

krok po kroku Polski

## NARZĘDNIK LICZBY POJEDYNCZEJ

**V przypadek** *Kim? Czym? Z kim? Z czym?*

### ■ Rodzaj męski

rzeczownik: ***-em***
***-iem*** po spółgłoskach *-k*, *-g* *(Anglikiem, Norwegiem)*

przymiotnik: ***-ym***
***-im*** po spółgłoskach miękkich oraz *-k*, *-g* *(tanim, wysokim, drogim)*

### ■ Rodzaj żeński

rzeczownik: ***-ą***
przymiotnik: ***-ą***

### ■ Rodzaj nijaki

rzeczownik: ***-em***
***-iem*** po spółgłoskach *-k*, *-g* *(dzieckiem)*
przymiotnik: ***-ym***
***-im*** po spółgłoskach miękkich oraz *-k*, *-g* *(tanim, wysokim, drogim)*

### ■ Zaimki wskazujące i pytające

| r. męski | r. żeński | r. nijaki |
|---|---|---|
| tym | tą | tym |
| tamt**ym** | tamt**ą** | tamt**ym** |
| jak**im** | jak**ą** | jak**im** |

### Zasady użycia

Narzędnik jest zwykle używany w zdaniach wyjaśniających *kim ktoś jest* i *czym coś jest.* Przykładowo, gdy mówimy o płci, narodowości, zawodzie, relacjach rodzinnych i międzyludzkich w przypadku osób lub określamy, czym jest dana rzecz, zjawisko, czynność. Narzędnik występuje również jako dopełnienie dalsze, rzadziej jako dopełnienie bliższe po czasownikach typu *pachnieć, rządzić, zmęczyć się*.

a) składnik orzeczenia złożonego np. po czasownikach *być*, *stać się*, *zostać* *(jestem nauczycielem, jest najlepszym lekarstwem, stanie się problemem, zostanie prezydentem).*

*Jestem kobietą. Jestem Polką. Jestem nauczycielką. Jestem córką.*
*Jestem siostrą. Jestem żoną. Jestem matką. Jestem dobrą koleżanką.*

*Jesteś mężczyzną. Jesteś Polakiem. Jesteś nauczycielem. Jesteś synem.*
*Jesteś bratem. Jesteś mężem. Jesteś ojcem. Jesteś dobrym kolegą.*

*Jest przedmiotem. Jest powodem. Jest rezultatem. Jest wynikiem.*
*Jest skutkiem. Jest błędem. Jest czynnikiem. Jest absurdem. Jest chaosem.*
*Jest rośliną. Jest nadzieją. Jest przyczyną. Jest fascynacją. Jest funkcją.*
*Jest zwierzęciem. Jest rozwiązaniem. Jest zadaniem. Jest remedium.*

b) transport *(jadę autobusem, rowerem, taksówką)*

c) pytanie: *Którędy? (proszę iść tą ulicą, tym korytarzem; jechać autostradą)*

d) pytanie: *Kiedy? (wiosną, latem, wieczorem, nocą)*

e) narzędzia *(pisać długopisem, malować farbami, rysować kredkami, jeść widelcem, kroić nożem, czesać się grzebieniem, myć się mydłem)*

f) zrobić coś czymś *(ruszyć ręką, kopnąć nogą, spojrzeć kątem oka)*

g) czasowniki:

*interesować się*
*zajmować się*
*opiekować się*
*kierować*
*cieszyć się*
*martwić się*
*męczyć się*
*stresować się*
*przejmować się*
*zarażać się*
*zachwycać się*
*bawić się*
*rządzić*
*chwalić się*
*pachnieć*
*smarować*

h) po przyimkach: *z*, *przed*, *za*, *nad*, *pod*, *między*, *poza*

• ! **narzędnik a mianownik**
Nie możemy używać narzędnika po wyrażeniu *to jest...*

| MIANOWNIK | NARZĘDNIK |
|---|---|
| **Kto to jest?** | **Kim on / ona / ono jest?** |
| To jest dobry student. | On jest dobrym studentem. |
| To jest dobra studentka. | Ona jest dobrą studentką. |
| To jest dobre dziecko. | Ono jest dobrym dzieckiem. |
| To (jest) + mianownik. | On/ona jest + narzędnik. |

Jeśli orzecznikiem jest sam przymiotnik, to wtedy jest on w formie mianownika.

*Ten mężczyzna jest* ***sympatyczny****.*
*Ta kobieta jest* ***utalentowana****.*

## NARZĘDNIK (z) Kim? (z) Czym?

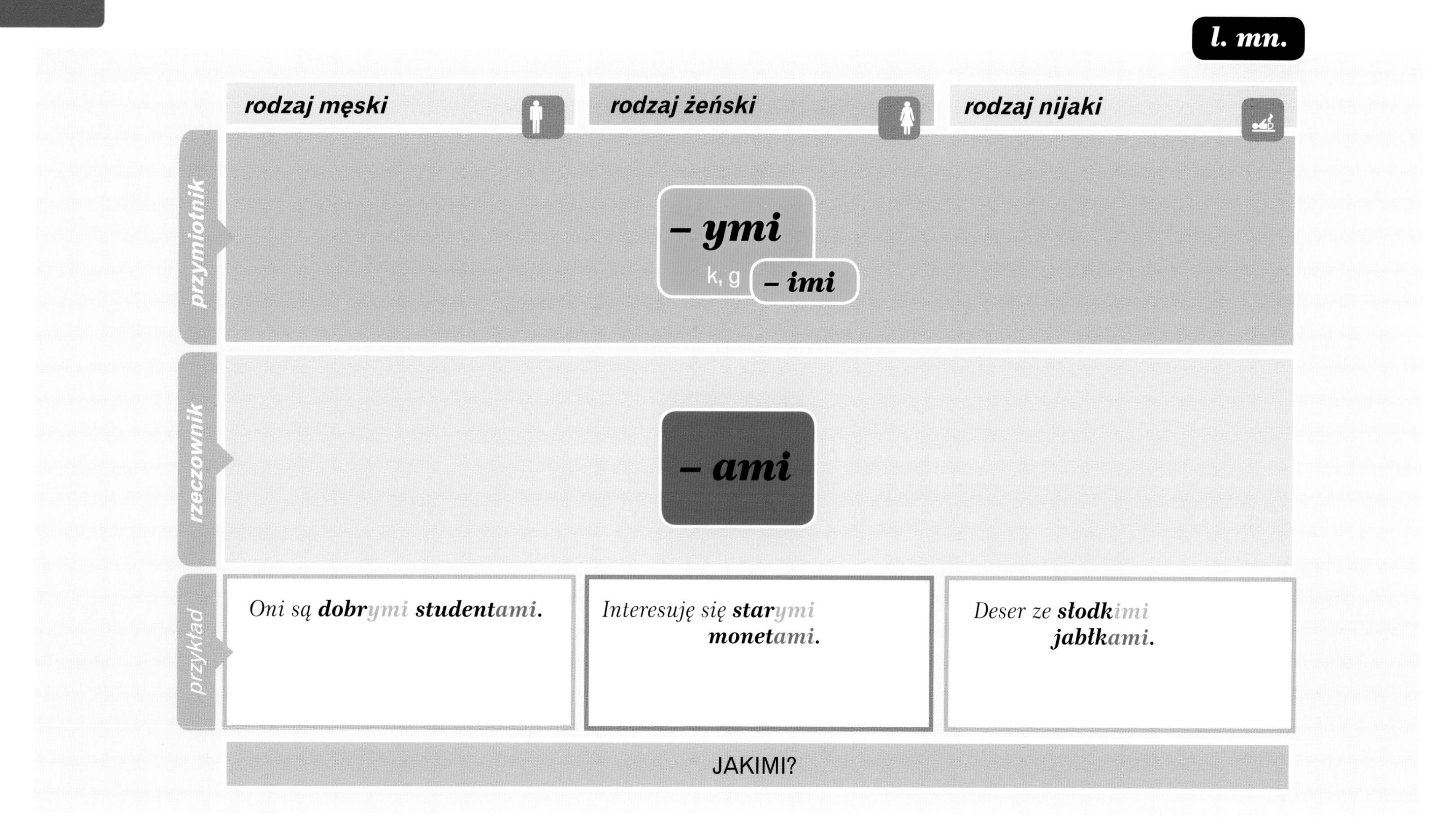

## NARZĘDNIK LICZBY MNOGIEJ

**V przypadek** ***Kim? Czym?***
***Z kim? Z czym?***

W liczbie mnogiej narzędnik we wszystkich rodzajach ma identyczne końcówki.

### ■ Rodzaj męski, żeński i nijaki

rzeczownik: ***-ami***
przymiotnik: ***-ymi***
***-imi*** po spółgłoskach miękkich oraz *-k*, *-g* *(tanimi, wysokimi, drogimi)*

• **przykłady**

*Oni są Francuzami.*
*Często jeżdżę autobusami.*
*Nie lubię jeździć autostradami.*
*Nocami lubię słuchać muzyki.*
*To dziecko lubi rysować kredkami.*
*Nie mam siły ruszać nogami.*
*Ona opiekuje się zwierzętami.*
*Idę do teatru z kolegami.*

• (!) **wyjątki**

Istnieje grupa wyrazów, gdzie narzędnik liczby mnogiej ma końcówkę *-mi*:

*ludźmi*
*braćmi*
*przyjaciółmi*
*dziećmi*
*pieniędzmi*
*końmi*
*liśćmi*

### ■ Zaimki wskazujące i pytające

***tymi***, ***tamtymi***, ***jakimi?***, ***którymi?***

## tab. 13 MIEJSCOWNIK O kim? O czym?

**l. poj.**

| | rodzaj męski | rodzaj żeński | rodzaj nijaki |
|---|---|---|---|
| przymiotnik | – ym<br>k, g – im | – ej | – ym<br>k, g – im |
| rzeczownik | – e<br>– u | – e<br>– y<br>– i | – e<br>– u |
| przykład | *Album o **starym Krakowie**.*<br>*Mieszkam na **Małym Rynku**.* | *On myśli o **ładnej dziewczynie**.*<br>*Rozmawiamy o **nowej pracy**.*<br>*Marzę o **dobrej kolacji**.* | *Byłam w **nowym kinie**.*<br>*Oglądałam film o **argentyńskim tangu**.* |
| | JAKIM? | JAKIEJ? | JAKIM? |

Sprawdź, czy umiesz. Zrób ćwiczenia na:

e-polish.eu

## MIEJSCOWNIK LICZBY POJEDYNCZEJ

**VI przypadek** ***O kim? O czym?***
***W kim? W czym?***
***Na kim? Na czym?***
***Przy kim? Przy czym?***
***Po kim? Po czym?***

### Rodzaj męski i nijaki

rzeczownik: ***-e*** dla rzeczowników zakończonych na spółgłoski twarde
***-u*** dla rzeczowników zakończonych na spółgłoski miękkie, funkcjonalnie miękkie oraz *-k*, *-g*, *-ch*

przymiotnik: ***-ym***
***-im*** po spółgłoskach miękkich oraz *-k*, *-g* *(tanim, wysokim, drogim)*

### Rodzaj żeński

rzeczownik: ***-e*** dla rzeczowników zakończonych na spółgłoski twarde
***-y*** dla rzeczowników zakończonych na spółgłoski funkcjonalnie miękkie: *-sz*, *-cz*, *-dz*, *-dż*, *-ż*, *-rz* oraz *-c*
***-i*** dla rzeczowników zakończonych na spółgłoski miękkie: *-ś*, *-ć*, *-ź*, *-dź*, *-ń* oraz *-l*, *-j*

przymiotnik: ***-ej***

### Dystrybucja końcówek

Dobór końcówek w miejscowniku zależy od spółgłoski kończącej temat wyrazu.

- **końcówka** *-e* występuje we wszystkich trzech rodzajach po spółgłoskach twardych (z wyjątkiem *-k*, *-g*, *-ch* w rodzaju męskim i nijakim), powodując ich alternacje.

**alternacje spółgłoskowe**

| p | b | f | w | m | n | s | z | t | d | r | ł | k | g | ch |
|---|---|---|---|---|---|---|---|---|---|---|---|---|---|---|
| pie | bie | fie | wie | mie | nie | sie | zie | cie | dzie | rze | le | ce | dze | sze |

p:pi chłop - chłopie, Europa - Europie
b:bi garb - garbie, torba - torbie
f:fi fotograf - fotografie, żyrafa - żyrafie
w:wi prawo - prawie, kawa - kawie
m:mi chrom - chromie, mama - mamie
n:ni okno - oknie, wanna - wannie
s:si nos - nosie, trasa - trasie
z:zi gaz - gazie, koza - kozie

k:c Polska - Polsce
g:dz droga - drodze
ch:sz mucha - musze

t:ci uniwersytet - uniwersytecie, gazeta - gazecie
d:dzi zawód - zawodzie, woda - wodzie
r:rz aktor - aktorze, góra - górze
ł:l stół - stole, szkoła - szkole
sł:śl masło - maśle
st:ść most - moście
sn:śń wiosna - wiośnie
sm:śmi pismo - piśmie

**alternacje samogłoskowe**
a:e las - lesie
o:e anioł - aniele
ó:e kościół - kościele
ó:o lód - lodzie
e:ø sen - śnie

**potrójna alternacja**
miasto - mieście
ciasto - cieście
gwiazda - gwieździe
zjazd - zjeździe

- **końcówka** *-u* występuje w rodzaju męskim i nijakim po spółgłoskach *-k*, *-g*, *-ch*, spółgłoskach funkcjonalnie miękkich: *sz*, *ż/rz*, *cz*, *dz*, *dż* + *c*, *l*, *j* oraz miękkich: *ś*, *ć*, *dź*, *ź*, *ń*.

*w kiosku* *o żołnierzu* *łosoś - o łososiu*
*na rogu* *o pieniądzu* *gość - o gościu*
*na dachu* *o dżdżu* *gwóźdź - o gwoździu*
*w koszu* *na kocu* *paź - o paziu*
*w płaszczu* *w lokalu* *koń - o koniu*
*w oleju*

**alternacja**
e:ø rynek - rynku

- **końcówka** *-y* występuje w rodzaju żeńskim po spółgłoskach funkcjonalnie miękkich: *sz*, *ż/rz*, *cz*, *dz*, *dż* + *c*.

*o kaszy* *o burzy* *o kukurydzy*
*na róży* *w rozpaczy* *na ulicy*

- **końcówka** *-i* występuje w rodzaju żeńskim po spółgłoskach miękkich: *ś*, *ć*, *ź*, *dź*, *ń* oraz *l*, *j*.

*na osi* *na gałęzi*
*w rzeczywistości* *w baśni*
*o powodzi*

- (!) **wyjątki**
*pan - o panu* *syn - o synu* *dom - w domu*

### Celownik a miejscownik

Dla rodzaju żeńskiego celownik i miejscownik liczby pojedynczej mają identyczne formy. Dotyczy to również rzeczowników męskich o odmianie żeńskiej *(tacie, artyście, koledze, kierowcy)*.

### Zaimki wskazujące i pytające

| r. męski | r. żeński | r. nijaki |
|---|---|---|
| tym | tej | tym |
| tamt**ym** | tamt**ej** | tamt**ym** |
| jak**im** | jaki**ej** | jak**im** |

### Zasady użycia

Miejscownik to jedyny przypadek występujący wyłącznie po przyimku, nigdy bezpośrednio po czasowniku. Więcej patrz tablica nr 14.

## tab. 14 MIEJSCOWNIK O kim? O czym?

**l. mn.**

| | rodzaj męski | rodzaj żeński | rodzaj nijaki |
|---|---|---|---|
| przymiotnik | | **– ych**<br>k, g **– ich** | |
| rzeczownik | | **– ach** | |
| przykład | Myślę o **moich synach.** | Chodziłem po **polskich górach.** | Mieszkałam w **różnych miastach.** |

JAKICH?

Sprawdź, czy umiesz. Zrób ćwiczenia na:

e-polish.eu

## MIEJSCOWNIK LICZBY MNOGIEJ

**VI przypadek** ***O kim? O czym?***
***W kim? W czym?***
***Na kim? Na czym?***
***Przy kim? Przy czym?***
***Po kim? Po czym?***

W liczbie mnogiej miejscownik we wszystkich rodzajach ma identyczne końcówki.

### ■ Rodzaj męski, żeński i nijaki

rzeczownik: ***-ach***
przymiotnik: ***-ych***
***-ich*** po spółgłoskach miękkich oraz *-k*, *-g* *(tanich, wysokich, drogich)*

### ■ Zaimki wskazujące i pytające

***tych***, ***tamtych***, ***jakich?***, ***których?***

### Zasady użycia

a) określa lokalizację, odpowiada na pytanie *gdzie? (w Polsce, na stole, przy tablicy)*
b) określa czas, odpowiada na pytanie *kiedy? (w zimie, w styczniu, w zeszłym tygodniu, o ósmej)*
c) określa cel *(byłem na filmie, jesteśmy na imprezie, na obiedzie)*
d) przyimki: *na*, *w*, *przy*, *po*, *o*

- **przyimek *w***

a) kraje, miasta, budynki, zamknięte pomieszczenia, wnętrza
*w Polsce* *w biurze*
*w Krakowie* *w pudełku*
*w bloku*

(!) **wyjątki:**
*na uniwersytecie* *na policji*
*na poczcie* *na basenie*
*na dworcu*

b) obiekt częściowo jest w czymś
*w płaszczu* *w sukience*
*w kapeluszu* *w fotelu*

c) czasowniki: *zakochać się, podkochiwać się, rozmiłować się, rozsmakować się*
*rozsmakować się w polskiej kuchni*
*rozmiłować się w polskiej literaturze*

- **przyimek *na***

a ) place, przestrzenie otwarte, powierzchnia czegoś
*na targu* *na powietrzu*
*na rynku* *na stole*
*na łące* *na krześle*

b) abstrakcyjny cel (podany zamiast konkretnej lokalizacji)
*na imprezie* *na filmie*
*na kawie* *na spotkaniu*

c) określenia przestrzenne
*na górze*
*na dole*

- **przyimek *po***

a) określa czas
*po lekcji*
*po obiedzie*
*po południu*

b) określa przestrzeń, po której coś lub ktoś się porusza
*spacerować po parku*
*chodzić po górach*
*podróżować po Europie*
*jeździć po ulicy*
*biegać po klasie*
*skakać po łóżku*

- **przyimek *przy***

a) określa lokalizację
*przy tablicy*
*przy stole*
*przy komputerze*

b) określa sytuację
*przy okazji*
*przy pisaniu*
*przy zakupie*

- **przyimek *o***

a) po czasownikach typu:
*mówić, opowiadać, rozmawiać, dyskutować, plotkować, myśleć, marzyć*
*Myślę o was bardzo często.*
*On ciekawie opowiada o swoich podróżach.*
*O czym oni dyskutują?*

- (!) **uwaga**

Przyimki łączące się z miejscownikiem mogą łączyć się też z innymi przypadkami w zależności od czasownika, który je poprzedza. Przykładowo po czasownikach wyrażających ruch będzie występował biernik. Tylko przyimek *przy* łączy się jedynie z miejscownikiem.

## WOŁACZ O!

**l. poj.**

| | rodzaj męski | rodzaj żeński | rodzaj nijaki |
|---|---|---|---|
| przymiotnik | **– y**<br>**– i**<br>= MIANOWNIK | **– a**<br>= MIANOWNIK | **– e**<br>= MIANOWNIK |
| rzeczownik | **– e**<br>**– u**<br>= MIEJSCOWNIK | **– o** zakończone na -a<br>**– u** zdrobnienia na -a<br>zakończone na -i lub spółgłoskę jak dopełniacz | **– o**<br>**– e**<br>**– ę**<br>**– um**<br>= MIANOWNIK |
| przykład | ***Kochany Tomaszu!***<br>***Drogi Ryszardzie!*** | ***Droga Anno!***<br>***Droga Aniu!***<br>***Droga pani!*** | ***Drogie dziecko!*** |

**Wyjątki:** *Bóg – Boże! pan – panie! ojciec – ojcze!*

## WOŁACZ LICZBY POJEDYNCZEJ

**VII przypadek zawołanie: *O!***

### Rodzaj męski

rzeczownik: ***-e*** dla rzeczowników zakończonych na spółgłoski twarde
***-u*** dla rzeczowników zakończonych na spółgłoski miękkie, funkcjonalnie miękkie oraz *-k*, *-g*, *-ch*

przymiotnik: ***-y***
***-i*** po spółgłoskach miękkich oraz *-k*, *-g* (*głupi, ciemnooki, drogi*)

- **dystrybucja końcówek**

  Dobór końcówek w wołaczu zależy od spółgłoski kończącej temat wyrazu.

- **końcówka** *-e* występuje **po spółgłoskach twardych** (z wyjątkiem *-k*, *-g*, *-ch* ) oraz w słowach zakończonych na *-ec*.

- **alternacje spółgłoskowe**

| p | b | f | w | m | n | s | z | **t** | **d** | **r** | **ł** | **c** |
|---|---|---|---|---|---|---|---|---|---|---|---|---|
| pie | bie | fie | wie | mie | nie | sie | zie | **cie** | **dzie** | **rze** | **le** | **cze** |

*Mój Skarbie!*
*Szefie!*
*Chłopie!*
*Panie prezesie!*
*Panie pośle!*
*Mój Wacławie!*

*Drogi Robercie!*
*Drogi Ryszardzie!*
*Szanowny Profesorze!*
*Panie ministrze!*
*Kochany Pawle!*

*Ojcze!*
*Chłopcze!*
*Głupcze!*

- **końcówka** ***-u*** występuje po **spółgłoskach** *-k*, *-g*, *-ch*, **spółgłoskach funkcjonalnie miękkich** (*sz*, *ż/rz*, *cz*, *dz*, *dż* + *c*, *l*, *j*) oraz **miękkich** (*ś*, *ć*, *dź*, *ź*, *ń*).
  Również zdrobnienia rzeczowników męskich zakończone na *-o* przyjmują tę końcówkę.

*Drogi Podróżniku!*
*Drogi Uczestniku!*
*Synku!*
*Mój mały biologu!*
*Duchu Święty!*
*Kłamczuchu!*

*Miłoszu!*
*Drogi Słuchaczu!*
*Narciarzu!*
*Drogi Widzu!*

*Drogi Gościu!*
*Groźny niedźwiedziu!*
*Mój paziu!*
*Mój szybkonogi koniu!*

*Kochany Dziadziu!*
*Tatusiu!*
*Tadziu!*
*Jasiu!*

ⓘ **wyjątki:**
*O Boże! Księże! Synu!*

- **rzeczowniki męskie zakończone na** *-a*, odmieniają się jak rzeczowniki rodzaju żeńskiego.

*Tato! Kolego! Artysto!*

### Rodzaj żeński

rzeczownik: ***-o*** dla rzeczowników twardotematowych
***-u*** dla rzeczowników miękkotematowych

przymiotnik: ***-a***

- **dystrybucja końcówek**

  Rzeczowniki twardotematowe zakończone w mianowniku na *-a*, przyjmują końcówkę *-o*. Większość rzeczowników miękkotematowych zakończonych na *-a*, przyjmuje końcówkę *-u*. Nie zaliczamy do tej grupy imion i nazw krajów zakończonych na niezgłoskotwórcze *-ia* (Maria, Anglia).

*Droga Anno! Kochana Żono! Kobieto! Szkoło! Mamo! Dziewczynko! Helenko!*
*Mario! Natalio! Sylwio! Anglio! Irlandio!*
*Aniu! Kasiu! Mamusiu! Ciociu!*

rzeczowniki zakończone w mianowniku na **-i** lub **spółgłoskę** mają wołacz równy dopełniaczowi.

*Pani! Bogini!*
*Miłości! Nocy!*

### Rodzaj nijaki

rzeczownik: ***-o***
***-e***
***-ę***
***-um***

przymiotnik: ***-e***

W **rodzaju nijakim** wołacz jest równy mianownikowi.

*Moje dziecko!*
*Moje malutkie pisklę!*
*O, życie!*
*O, panaceum!*

### Wołacz a inne przypadki

Dla **rodzaju męskiego** rzeczownik ma formy identyczne jak miejscownik liczby pojedynczej. Regule tej nie podlegają rzeczowniki zakończone na *-a* oraz kilka wyjątków. W **rodzaju żeńskim** rzeczowniki zakończone na **spółgłoskę** oraz *-i* mają wołacz równy **dopełniaczowi**. Wołacz rzeczowników **rodzaju nijakiego** jest taki sam jak **mianownik**. Przymiotnik w wołaczu liczby pojedynczej we wszystkich trzech rodzajach jest zawsze równy **mianownikowi**.

### Zasady użycia

Wołacza używa się w bezpośrednich zwrotach, w zawołaniach, w funkcji apelu. Dokładniejsze zasady jego użycia są podane na tablicy nr 16.

## tab. 16 WOŁACZ O!

**l. mn.**

| | rodzaj męski | rodzaj żeński | rodzaj nijaki |
|---|---|---|---|
| przymiotnik | – *i*<br>– *y* | – *e* | – *e* |
| rzeczownik | – *i*<br>– *y*<br>– *e*<br>– *owie* | – *y*<br>k, g – *i*<br>sz, cz, dz, dż, ż, rz, ś, ć, ź, dź, ń, c, l, j – *e* | – *a* |
| przykład | *Drodzy studenci!*<br>*Kochani chłopcy!*<br>*Mili krakowianie!*<br>*Szanowni panowie!* | *Kochane siostry!*<br>*Drogie córki!*<br>*Szanowne panie!* | *Moje zwierzęta!*<br>*Drogie dzieci!* |

**WOŁACZ l. mn. = MIANOWNIK l. mn.**
*Drodzy panowie! Drogie panie! Drogie dzieci!*

## WOŁACZ LICZBY MNOGIEJ

**VII przypadek zawołanie:** ***O!***

Wołacz liczby mnogiej we wszystkich rodzajach jest równy mianownikowi liczby mnogiej.

**■ Rodzaj męski**

rzeczownik: ***-i***
***-y***
***-e***
***-owie***

przymiotnik: ***-i***
***-y***

**■ Rodzaj żeński**

rzeczownik: ***-y***
***-i***
***-e***

przymiotnik: ***-e***

**■ Rodzaj nijaki**

rzeczownik: ***-a***

przymiotnik: ***-e***

**Zasady użycia**

Wołacz to jedyny przypadek, który używany jest niezależnie od reszty zdania. Formy w wołaczu są często dodatkiem i nie wchodzą w związki zależności z innymi częściami mowy. Przypadek ten nie posiada własnego pytania. Występuje w formach ekspresywnych i agresywnych.

a) w bezpośrednich zwrotach *(panie doktorze, pani profesor, Aniu, Pawle, synku)*
b) w powitaniach i pożegnaniach *(Dzień dobry, panie prezesie! Witajcie, moje dzieci! Cześć, Agnieszko! Do widzenia, Piotrze! Pa, mamusiu! Do zobaczenia, Jolu! Dobranoc, córeczko!)*
c) w przywołaniach *(Mamo! Tato! Kochanie! Zosiu! Tadziu!)*
d) w funkcji apelu *(Rodacy! Drodzy Krakowianie! Żołnierze! Szanowni Wyborcy!)*
e) w korespondencji *(Szanowny Panie Profesorze! Szanowna Pani! Szanowni Państwo! Drogi Robercie! Kochana Mamo! Najdroższy Synku! Najukochańsza Córeczko!)*
f) po zaimku osobowym w drugiej osobie liczby pojedynczej i mnogiej *(Ty głuptasie! Ty zdrajco! Wy łobuzy! Wy złodzieje!)*
g) w modlitwach *(Panie Boże! Jezu Chryste! Święty Franciszku! Święta Maryjo!)*
h) w zwrotach poetyckich *(Młodości Utracona! Radości Wielka! O, Śmierci! O, Życie! Pustko! Książko Moja! Miasto Ukochane!)*

**Mianownik zamiast wołacza**

W mowie potocznej w powitaniach, pożegnaniach i przywołaniach w miejsce wołacza (*Cześć, Agnieszko! Piotrku! Basiu!*) często pojawia się mianownik *(Cześć, Agnieszka! Piotrek! Basia!)*. Natomiast w języku oficjalnym, zwłaszcza pisanym, jest to uznawane za błąd.
Sytuacja zamiany wołacza na mianownik ma miejsce jedynie w przypadku izolowanych imion, w pozostałych nadal wołacz to jedyna możliwa forma.

*Cześć, moja kochana Agnieszko!*
*Mój Piotrku!*
*Mała Basiu!*
*Tak, szefie.*
*Oczywiście, panie ministrze.*
*Szanowny Panie Ministrze!* *

* W wypowiedziach pisemnych obowiązują wielkie litery.

# tab. 17 RZECZOWNIKI NIEREGULARNE

## z poszerzonym tematem

| | l. poj. | l. mn. | l. poj. | l. mn. |
|---|---|---|---|---|
| MIANOWNIK | imię | imiona | zwierzę | zwierzęta |
| DOPEŁNIACZ | imienia | imion | zwierzęcia | zwierząt |
| CELOWNIK | imieniu | imionom | zwierzęciu | zwierzętom |
| BIERNIK | imię | imiona | zwierzę | zwierzęta |
| NARZĘDNIK | imieniem | imionami | zwierzęciem | zwierzętami |
| MIEJSCOWNIK | imieniu | imionach | zwierzęciu | zwierzętach |
| WOŁACZ | imię | imiona | zwierzę | zwierzęta |

| | l. poj. | l. mn. | l. poj. | l. mn. |
|---|---|---|---|---|
| MIANOWNIK | książę | książęta | tydzień | tygodnie |
| DOPEŁNIACZ | księcia | książąt | tygodnia | tygodni |
| CELOWNIK | księciu | książętom | tygodniowi | tygodniom |
| BIERNIK | księcia | książęta | tydzień | tygodnie |
| NARZĘDNIK | księciem | książętami | tygodniem | tygodniami |
| MIEJSCOWNIK | księciu | książętach | tygodniu | tygodniach |
| WOŁACZ | książę | książęta | tygodniu | tygodnie |

## *rzeczowniki nieregularne*

| | l. poj. | l. mn. | l. poj. | l. mn. |
|---|---|---|---|---|
| MIANOWNIK | rok | lata | dzień | dni |
| DOPEŁNIACZ | roku | lat | dnia | dni |
| CELOWNIK | rokowi | latom | dniowi | dniom |
| BIERNIK | rok | lata | dzień | dni |
| NARZĘDNIK | rokiem | latami | dniem | dniami |
| MIEJSCOWNIK | roku | latach | dniu | dniach |
| WOŁACZ | roku | lata | dniu | dni |

## *nieregularna liczba mnoga*

| | brat | przyjaciel | człowiek | dziecko | ksiądz | pieniądz |
|---|---|---|---|---|---|---|
| MIANOWNIK | bracia | przyjaciele | ludzie | dzieci | księża | pieniądze |
| DOPEŁNIACZ | braci | przyjaciół | ludzi | dzieci | księży | pieniędzy |
| CELOWNIK | braciom | przyjaciołom | ludziom | dzieciom | księżom | pieniądzom |
| BIERNIK | braci | przyjaciół | ludzi | dzieci | księży | pieniądze |
| NARZĘDNIK | braćmi | przyjaciółmi | ludźmi | dziećmi | księżmi | pieniędzmi |
| MIEJSCOWNIK | braciach | przyjaciołach | ludziach | dzieciach | księżach | pieniądzach |
| WOŁACZ | bracia | przyjaciele | ludzie | dzieci | księża | pieniądze |

## tab. 18 ZAIMKI DZIERŻAWCZE Czyj? Czyja? Czyje?

| | r. męski | | r. żeński | r. nijaki |
|---|---|---|---|---|
| MIANOWNIK | **mój** | **mój** | **moja** | **moje** |
| DOPEŁNIACZ | mojego | mojego | mojej | mojego |
| CELOWNIK | mojemu | mojemu | mojej | mojemu |
| BIERNIK | **mojego** | **mój** | moją | moje |
| NARZĘDNIK | moim | moim | moją | moim |
| MIEJSCOWNIK | moim | moim | mojej | moim |

| | r. męski | | r. żeński | r. nijaki |
|---|---|---|---|---|
| MIANOWNIK | **twój** | **twój** | **twoja** | **twoje** |
| DOPEŁNIACZ | twojego | twojego | twojej | twojego |
| CELOWNIK | twojemu | twojemu | twojej | twojemu |
| BIERNIK | **twojego** | **twój** | twoją | twoje |
| NARZĘDNIK | twoim | twoim | twoją | twoim |
| MIEJSCOWNIK | twoim | twoim | twojej | twoim |

| | r. męski | | r. żeński | r. nijaki |
|---|---|---|---|---|
| MIANOWNIK | **nasz** | **nasz** | **nasza** | **nasze** |
| DOPEŁNIACZ | naszego | naszego | naszej | naszego |
| CELOWNIK | naszemu | naszemu | naszej | naszemu |
| BIERNIK | **naszego** | **nasz** | naszą | nasze |
| NARZĘDNIK | naszym | naszym | naszą | naszym |
| MIEJSCOWNIK | naszym | naszym | naszej | naszym |

| | r. męski | | r. żeński | r. nijaki |
|---|---|---|---|---|
| MIANOWNIK | **wasz** | **wasz** | **wasza** | **wasze** |
| DOPEŁNIACZ | waszego | waszego | waszej | waszego |
| CELOWNIK | waszemu | waszemu | waszej | waszemu |
| BIERNIK | **waszego** | **wasz** | waszą | wasze |
| NARZĘDNIK | waszym | waszym | waszą | waszym |
| MIEJSCOWNIK | waszym | waszym | waszej | waszym |

| CZYI? *r. męskoosobowy* | | | | |
|---|---|---|---|---|
| MIANOWNIK | **moi** | **twoi** | **nasi** | **wasi** |
| DOPEŁNIACZ | moich | twoich | naszych | waszych |
| CELOWNIK | moim | twoim | naszym | waszym |
| BIERNIK | **moich** | **twoich** | **naszych** | **waszych** |
| NARZĘDNIK | moimi | twoimi | naszymi | waszymi |
| MIEJSCOWNIK | moich | twoich | naszych | waszych |

| CZYJE? *r. niemęskoosobowy* | | | | |
|---|---|---|---|---|
| MIANOWNIK | **moje** | **twoje** | **nasze** | **wasze** |
| DOPEŁNIACZ | moich | twoich | naszych | waszych |
| CELOWNIK | moim | twoim | naszym | waszym |
| BIERNIK | **moje** | **twoje** | **nasze** | **wasze** |
| NARZĘDNIK | moimi | twoimi | naszymi | waszymi |
| MIEJSCOWNIK | moich | twoich | naszych | waszych |

Zaimek pytający *czyj? czyja? czyje?* w języku polskim odmienia się przez rodzaje, przypadki i liczbę tak samo jak zaimki dzierżawcze *mój, twój, nasz, wasz*. Natomiast zaimki *jego, jej, ich* zawsze mają tę samą formę (dopełniacza zaimków osobowych).

# ZAIMKI OSOBOWE

| | | ja | ty | on | ona | ono | my | wy | oni | one |
|---|---|---|---|---|---|---|---|---|---|---|
| MIANOWNIK | | ja | ty | on | ona | ono | my | wy | oni | one |
| DOPEŁNIACZ | | **mnie** | **cię** | **go** | **jej** | **go** | **nas** | **was** | **ich** | **ich** |
| | * | | ciebie | niego | niej | niego | | | nich | nich |
| | ** | | | jego | | jego | | | | |
| CELOWNIK | | **mi** | **ci** | **mu** | **jej** | **mu** | **nam** | **wam** | **im** | **im** |
| | * | mnie | tobie | niemu | niej | niemu | | | nim | nim |
| | ** | | | jemu | | jemu | | | | |
| BIERNIK | | **mnie** | **cię** | **go** | **ją** | **je** | **nas** | **was** | **ich** | **je** |
| | * | | ciebie | niego | nią | nie | | | nich | nie |
| | ** | | | jego | | | | | | |
| NARZĘDNIK | | **mną** | **tobą** | **nim** | **nią** | **nim** | **nami** | **wami** | **nimi** | **nimi** |
| MIEJSCOWNIK | | **mnie** | **tobie** | **nim** | **niej** | **nim** | **nas** | **was** | **nich** | **nich** |

***Lubię go. / Dziękuję ci. / Dlaczego interesujesz się nimi?***
* *Idę do niego. / Prezent dla ciebie. / Czekam na nią. (przyimek)*
** *Jemu nie dam nic. / Kocham tylko jego. / On lubi tylko ciebie. (emfaza)*

*Sprawdź, czy umiesz. Zrób ćwiczenia na:*

e-polish.eu

## ZAIMKI OSOBOWE

Zaimki osobowe odmieniają się przez przypadki. W niektórych przypadkach posiadają formę długą i krótką, a czasem dodatkową występującą po przyimkach.
Przykładowo zaimki *ty*, *on*, *ona*, *ono*, *oni*, *one* w **dopełniaczu, celowniku i bierniku**, mają więcej niż jedną formę. Natomiast zaimek *ja* ma dwie formy tylko w celowniku.

- **po przyimku***
  Po przyimkach zaimki *on*, *ona*, *ono*, *oni*, *one* mają specjalną formę, zaczynającą się od litery *n-* (*niego*, *niej*, *nich*). Natomiast zaimek *ty* przyjmuje wtedy długą formę *ciebie* (w bierniku i dopełniaczu) i *tobie* (w celowniku). Zaimek *ja* zwykle występuje tylko w formie długiej, jedynie w celowniku posługuje się on dwoma formami i dlatego należy pamiętać, że po przyimku używamy formy długiej *mnie*.

- **emfaza, początek zdania****
  Jeżeli zaimek *on* i *ty* znajduje się na początku zdania lub w zdaniu jest więcej niż jedno dopełnienie, wtedy używamy długich form: *jego* i *ciebie* (w bierniku i dopełniaczu) lub *jemu* i *tobie* (w celowniku). Tych samych form używamy, kiedy kładziemy na te zaimki emfazę, akcent emocjonalny. Analogicznie zachowuje się zaimek *ja* w celowniku, gdzie w powyższych sytuacjach używamy formy *mnie*.

### Biernik

| STANDARDOWA ODMIANA | * PO PRZYIMKU | ** EMFAZA, POCZĄTEK ZDANIA, WIĘCEJ NIŻ JEDNO DOPEŁNIENIE |
|---|---|---|
| Ta nauczycielka lubi:<br>• **mnie**<br>• *cię*<br>• *go*<br>• *ją*<br>• *je*<br>• **nas**<br>• **was**<br>• *ich*<br>• *je* | Aneta czeka na:<br>• **mnie**<br>• *ciebie*<br>• *niego*<br>• *nią*<br>• *nie*<br>• **nas**<br>• **was**<br>• *nich*<br>• *nie* | Aneta kocha tylko *ciebie*!<br>*Ciebie* naprawdę wszyscy lubią!<br>Znam i *ciebie*, i twoją siostrę.<br><br>Aneta kocha tylko *jego*!<br>*Jego* naprawdę wszyscy lubią!<br>Znam i ją, i *jego*. |

### Dopełniacz

| STANDARDOWA ODMIANA | * PO PRZYIMKU | ** EMFAZA, POCZĄTEK ZDANIA, WIĘCEJ NIŻ JEDNO DOPEŁNIENIE |
|---|---|---|
| Ta nauczycielka szuka:<br>• **mnie**<br>• *cię*<br>• *go*<br>• *jej*<br>• *go*<br>• **nas**<br>• **was**<br>• *ich*<br>• *ich* | To jest dla:<br>• **mnie**<br>• *ciebie*<br>• *niego*<br>• *niej*<br>• *niego*<br>• **nas**<br>• **was**<br>• *nich*<br>• *nich* | Aneta słucha tylko *ciebie*!<br>*Ciebie* naprawdę nikt nie lubi!<br>Nie widziałem ani *ciebie*,<br>ani twojej siostry.<br><br>Aneta słucha tylko *jego*!<br>*Jego* naprawdę nikt nie lubi!<br>Nie widziałem ani jej, ani *jego*. |

### Celownik

| STANDARDOWA ODMIANA | * PO PRZYIMKU | ** EMFAZA, POCZĄTEK ZDANIA, WIĘCEJ NIŻ JEDNO DOPEŁNIENIE |
|---|---|---|
| Smutno:<br>• **mi**<br>• *ci*<br>• *mu*<br>• *jej*<br>• *mu*<br>• **nam**<br>• **wam**<br>• *im*<br>• *im* | Ona jest przeciwko:<br>• **mnie**<br>• *tobie*<br>• *niemu*<br>• *niej*<br>• *niemu*<br>• **nam**<br>• **wam**<br>• *nim*<br>• *nim* | Daj to tylko *mnie*!<br>*Mnie* musicie podziękować.<br>Musicie podziękować i jej, i *mnie*.<br><br>Daję to tylko *tobie*!<br>*Tobie* musimy podziękować.<br>Musimy podziękować i *tobie*, i jej.<br><br>Daj to tylko *jemu*!<br>*Jemu* musicie podziękować.<br>Musicie podziękować i jej, i *jemu*. |

**tab. 20** **CZAS TERAŹNIEJSZY**

| | KONIUGACJA 1 *-ę, -esz* | | | KONIUGACJA 2 *-ę, -isz / -ysz* | | | | KONIUGACJA 3 *-m, -sz* | | |
|---|---|---|---|---|---|---|---|---|---|---|
| ***bezokolicznik*** | ***pisać*** | ***kupować*** | | ***myśleć*** | | ***tańczyć*** | | ***kochać*** | ***umieć*** | |
| *(ja)* | pisz | kupuj | *-ę* | myśl | *-ę* | tańcz | *-ę* | kocha | umie | *-m* |
| *(ty)* | pisz | kupuj | *-esz* | myśl | *-isz* | tańcz | *-ysz* | kocha | umie | *-sz* |
| *on, ona, ono* | pisz | kupuj | *-e* | myśl | *-i* | tańcz | *-y* | kocha | umie | *-ø* |
| *(my)* | pisz | kupuj | *-emy* | myśl | *-imy* | tańcz | *-ymy* | kocha | umie | *-my* |
| *(wy)* | pisz | kupuj | *-ecie* | myśl | *-icie* | tańcz | *-ycie* | kocha | umie | *-cie* |
| *oni, one* | pisz | kupuj | *-ą* | myśl | *-ą* | tańcz | *-ą* | kocha | umie | *-ją* |

**BYĆ**

| | | | |
|---|---|---|---|
| *(ja)* | jestem | *(my)* | jesteśmy |
| *(ty)* | jesteś | *(wy)* | jesteście |
| *on, ona, ono* | jest | *oni, one* | są |

**MIEĆ**

| | | | |
|---|---|---|---|
| *(ja)* | mam | *(my)* | mamy |
| *(ty)* | masz | *(wy)* | macie |
| *on, ona, ono* | ma | *oni, one* | mają |

# KONIUGACJE

## Typy koniugacji

**Czasowniki** w języku polskim odmieniają się przez **osoby, liczby, czasy, tryby, strony** i częściowo także przez **rodzaje**. Podstawową formą czasownika jest bezokolicznik, który zwykle ma końcówkę -ć.

W czasie teraźniejszym wyróżniamy trzy **grupy koniugacyjne**: **I -ę, -esz**; **II -ę, -isz / -ysz; III -m, -sz**. Niestety, przynależność do danej grupy nie jest tak oczywista, jak np. w języku włoskim czy hiszpańskim. Nie zawsze po końcówce bezokolicznika możemy określić model koniugacji. Informację tę należy czasem sprawdzić w słowniku.
Odmieniając czasownik należy odciąć końcówkę bezokolicznika i dodać końcówki odpowiedniej koniugacji.

## Koniugacja I -ę, -esz

- **alternacje tematu**
  W koniugacji pierwszej temat czasownika często ulega alternacjom. Jednak zawsze temat pierwszej osoby liczby pojedynczej jest równy tematowi trzeciej osoby liczby mnogiej.

| pisać | | iść | | brać | |
|---|---|---|---|---|---|
| (ja) | piszę | (ja) | idę | (ja) | biorę |
| (ty) | piszesz | (ty) | idziesz | (ty) | bierzesz |
| on/ona/ono | pisze | on/ona/ono | idzie | on/ona/ono | bierze |
| (my) | piszemy | (my) | idziemy | (my) | bierzemy |
| (wy) | piszecie | (wy) | idziecie | (wy) | bierzecie |
| oni/one | piszą | oni/one | idą | oni/one | biorą |

- **czasowniki zakończone na *-ować* i *-awać***
  Czasowniki te podlegają alternacjom: ować:uj i awać:aj.

| studiować | | wstawać | |
|---|---|---|---|
| (ja) | studiuję | (ja) | wstaję |
| (ty) | studiujesz | (ty) | wstajesz |
| on/ona/ono | studiuje | on/ona/ono | wstaje |
| (my) | studiujemy | (my) | wstajemy |
| (wy) | studiujecie | (wy) | wstajecie |
| oni/one | studiują | oni/one | wstają |

- **czasowniki typu: *pić, bić, myć, żyć***
  W odmianie czasowników jednosylabowych zakończonych na *-ić, -yć* pojawia się spółgłoska *-j*.

| pić | |
|---|---|
| (ja) | piję |
| (ty) | pijesz |
| on/ona/ono | pije |
| (my) | pijemy |
| (wy) | pijecie |
| oni/one | piją |

- **czasownik móc**
  Czasownik modalny *móc* ma bezokolicznik zakończony na *-c*, w jego temacie zachodzi alternacja g:ż.

| móc | | | |
|---|---|---|---|
| (ja) | mogę | (my) | możemy |
| (ty) | możesz | (wy) | możecie |
| on ona ono | może | oni one | mogą |

## Koniugacja II -ę, -isz / -ysz

- **dobór końcówek**
  Po spółgłoskach funkcjonalnie miękkich: *-sz, -cz, -dz, -dż, -ż, -rz* używamy końcówek: *-ysz, -y, -ymy, -ycie*. Na przykład: słyszeć, tańczyć, burzyć. Tematy czasowników odmieniających się według wzoru *-ę / -ysz* nie podlegają alternacjom.

| słyszeć | | | |
|---|---|---|---|
| (ja) | słyszę | (my) | słyszymy |
| (ty) | słyszysz | (wy) | słyszycie |
| on ona ono | słyszy | oni one | słyszą |

- **alternacje tematu**
  W koniugacji drugiej, podobnie jak w pierwszej, temat czasownika może ulegać alternacjom (dotyczy *-ę / -isz)*. Tutaj również temat pierwszej osoby liczby pojedynczej jest równy tematowi trzeciej osoby liczby mnogiej.

| jeździć | | | |
|---|---|---|---|
| (ja) | jeżdżę | (my) | jeździmy |
| (ty) | jeździsz | (wy) | jeździcie |
| on ona ono | jeździ | oni one | jeżdżą |

| stać | | | |
|---|---|---|---|
| (ja) | stoję | (my) | stoimy |
| (ty) | stoisz | (wy) | stoicie |
| on ona ono | stoi | oni one | stoją |

Czasowniki zakończone w bezokoliczniku na: *-pić, -bić, -wić, -fić, -nić, -mić* zachowują *-i* w pierwszej osobie liczby pojedynczej i trzeciej osobie liczby mnogiej.
Na przykład: kupię*, lubię, mówię, potrafię, uwolnię*, karmię (*formy dokonane)

## Koniugacja III -m, -sz

- **dobór końcówek**
  W trzeciej osobie liczby mnogiej niektóre czasowniki przyjmują końcówkę *-dzą*, na przykład *wiedzą, jedzą*.

| wiedzieć | | | |
|---|---|---|---|
| (ja) | wiem | (my) | wiemy |
| (ty) | wiesz | (wy) | wiecie |
| on ona ono | wie | oni one | wiedzą |

Niekiedy koniugację III dzieli się na dwie podgrupy ze względu na zakończenie bezokolicznika *-ać* lub *-eć* (czasowniki typu *czytam, czytasz* oraz czasowniki typu *rozumiem, rozumiesz*).

## tab. 21 CZAS PRZESZŁY

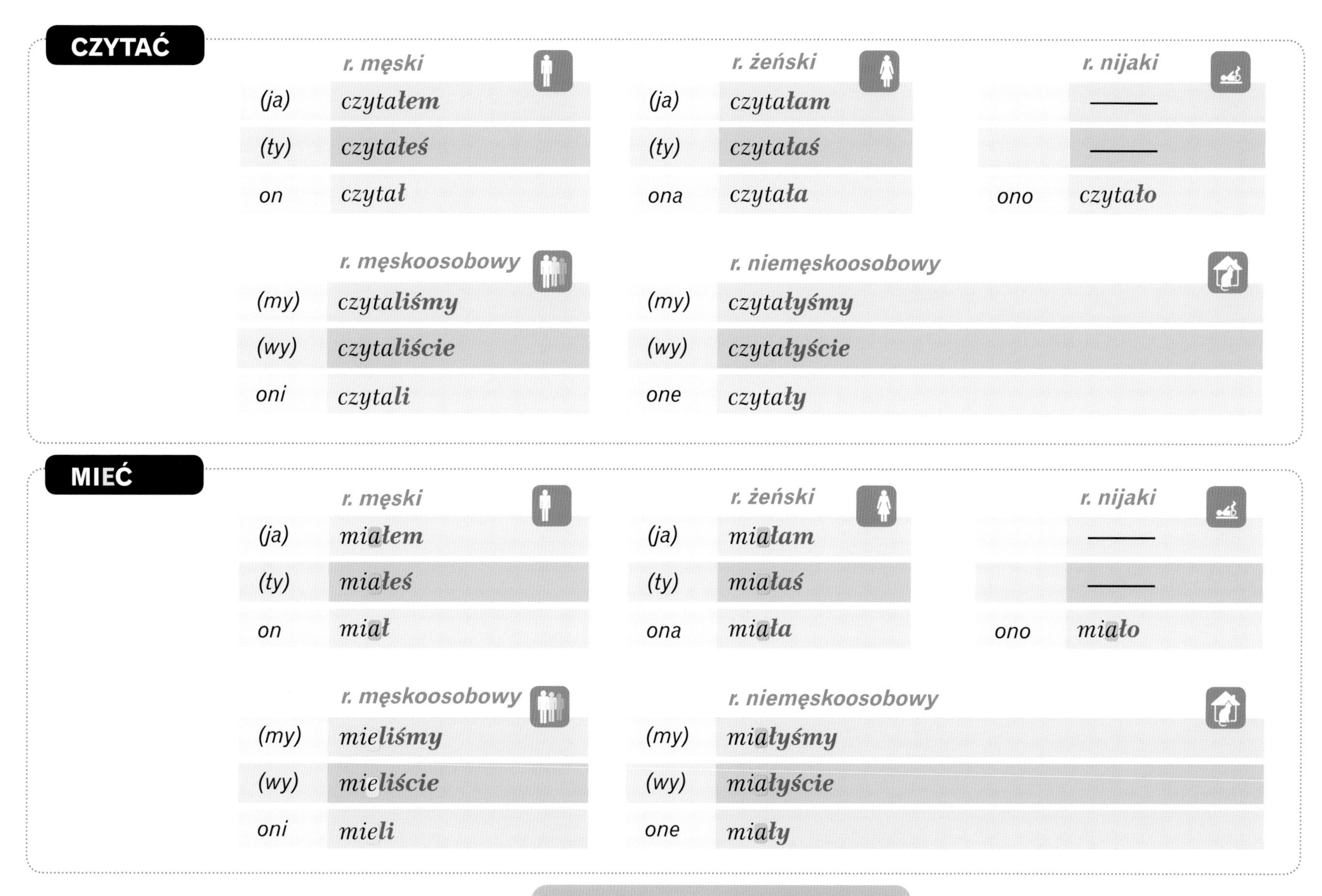

### CZYTAĆ

| | r. męski | | r. żeński | | r. nijaki |
|---|---|---|---|---|---|
| (ja) | czytałem | (ja) | czytałam | | ——— |
| (ty) | czytałeś | (ty) | czytałaś | | ——— |
| on | czytał | ona | czytała | ono | czytało |

| | r. męskoosobowy | | r. niemęskoosobowy |
|---|---|---|---|
| (my) | czytaliśmy | (my) | czytałyśmy |
| (wy) | czytaliście | (wy) | czytałyście |
| oni | czytali | one | czytały |

### MIEĆ

| | r. męski | | r. żeński | | r. nijaki |
|---|---|---|---|---|---|
| (ja) | miałem | (ja) | miałam | | ——— |
| (ty) | miałeś | (ty) | miałaś | | ——— |
| on | miał | ona | miała | ono | miało |

| | r. męskoosobowy | | r. niemęskoosobowy |
|---|---|---|---|
| (my) | mieliśmy | (my) | miałyśmy |
| (wy) | mieliście | (wy) | miałyście |
| oni | mieli | one | miały |

**UWAGA ALTERNACJA e:a!**

Czasowniki typu *mieć, chcieć, musieć,...*

## CZAS PRZESZŁY

Czas przeszły czasownika tworzymy odcinając końcówkę bezokolicznika *-ć* i dodając końcówki czasu przeszłego. Większość czasowników w czasie przeszłym ma regularną odmianę, a ich tematy nie podlegają alternacjom.

- **rodzaj czasownika**
  W czasie przeszłym czasownik posiada rodzaj. W liczbie pojedynczej występuje on w trzech rodzajach: męskim, żeńskim i nijakim. Rodzaj nijaki pojawia się jedynie w trzeciej osobie. Natomiast w liczbie mnogiej wyróżniamy rodzaj męskoosobowy, kiedy wykonawcą czynności jest osoba płci męskiej lub grupa osób, w skład której wchodzi przedstawiciel płci męskiej oraz niemęskoosobowy dla pozostałych wykonawców.

- **czasownik *być***
  Czasownik ten w czasie przeszłym ma regularną odmianę.

| l. poj. | | | l. mn. | |
|---|---|---|---|---|
| r. męski | r. żeński | r. nijaki | r. męskoosobowy | r. niemęskoosobowy |
| (ja) byłem<br>(ty) byłeś<br>on był | (ja) byłam<br>(ty) byłaś<br>ona była | -------<br>-------<br>ono było | (my) byliśmy<br>(wy) byliście<br>oni byli | (my) byłyśmy<br>(wy) byłyście<br>one były |

- **czasowniki zakończone na *-eć***
  Czasowniki zakończone w bezokoliczniku na *-eć* podlegają w czasie przeszłym alternacji e:a. W rodzaju męskim alternacja ta występuje tylko w liczbie pojedynczej, natomiast w żeńskim i nijakim w obu liczbach. Na przykład: chciałem, chciałeś, chciał, chciałam, chciałaś, chciała, chciało, chciałyśmy, chciałyście, chciały.

- **czasowniki nieregularne**
  Czasowniki *jeść* i *iść* mają nieregularną odmianę w czasie przeszłym.

jeść

| l. poj. | | | l. mn. | |
|---|---|---|---|---|
| r. męski | r. żeński | r. nijaki | r. męskoosobowy | r. niemęskoosobowy |
| (ja) jadłem<br>(ty) jadłeś<br>on jadł | (ja) jadłam<br>(ty) jadłaś<br>ona jadła | -------<br>-------<br>ono jadło | (my) jedliśmy<br>(wy) jedliście<br>oni jedli | (my) jadłyśmy<br>(wy) jadłyście<br>one jadły |

iść / pójść

| l. poj. | | | l. mn. | |
|---|---|---|---|---|
| r. męski | r. żeński | r. nijaki | r. męskoosobowy | r. niemęskoosobowy |
| (ja) poszedłem<br>(ty) poszedłeś<br>on poszedł | (ja) poszłam<br>(ty) poszłaś<br>ona poszła | ----------<br>----------<br>ono poszło | (my) poszliśmy<br>(wy) poszliście<br>oni poszli | (my) poszłyśmy<br>(wy) poszłyście<br>one poszły |

Uwaga! Czasownika w formie niedokonanej *iść* używamy tylko dla podkreślenia, że czynność trwała długo lub gdy podczas tej czynności zaczęła się druga.

*Szliśmy tam przez dwie godziny.*
*Kiedy szliśmy do kina, spotkaliśmy Ewę.*

Normalnie używamy formy dokonanej, czyli czasownika *pójść*.

*Poszliśmy do kina.*
*Czy on poszedł do dentysty?*

- **akcent w czasie przeszłym**
  W pierwszej i drugiej osobie liczby mnogiej akcent pada na trzecią sylabę od końca.
  ***by**liśmy, **by**liście, **by**łyśmy, **by**łyście*
  ***chcie**liśmy, **chcie**liście, **chcia**łyśmy, **chcia**łyście*
  *kupo**wa**liśmy, kupo**wa**liście, kupo**wa**łyśmy, kupo**wa**łyście*

**Określenia czasowe**

Mamy dwa sposoby określania czasu w przeszłości: za pomocą słówka *temu* oraz wyrażenia *w zeszłym*, *w zeszły*, *w zeszłą*..., do których dodajemy inne określenia czasowe.

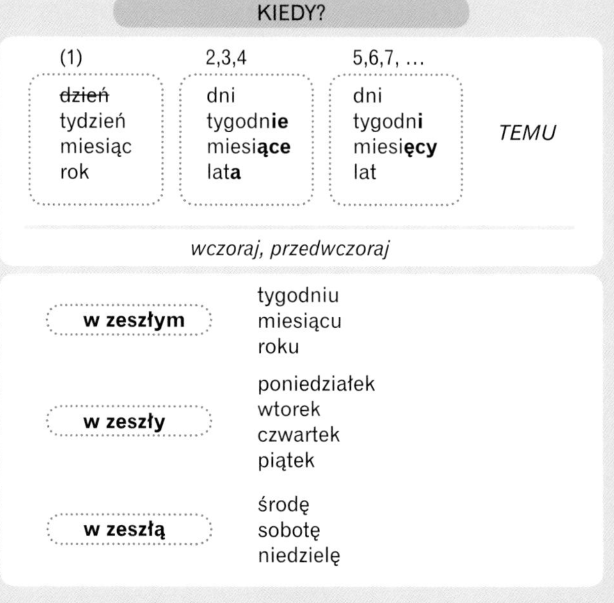


w zeszłym = w ostatnim = w ubiegłym

Uwaga! Nie mówimy w języku polskim *dzień temu* tylko *wczoraj*. Natomiast możemy powiedzieć *dwa dni temu* lub *przedwczoraj*.

## tab. 22 CZAS PRZYSZŁY ZŁOŻONY

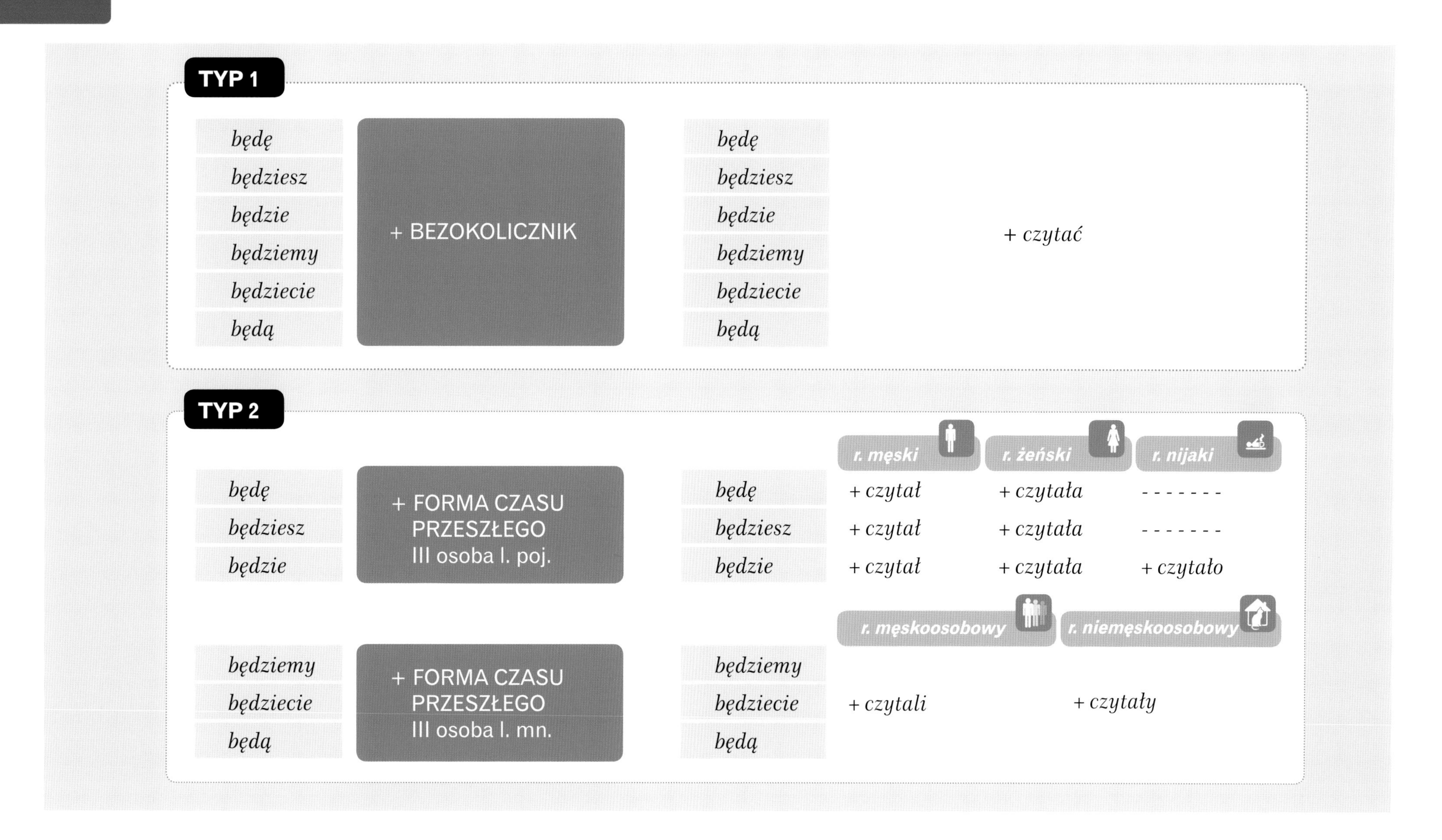

**TYP 1**

| | | | |
|---|---|---|---|
| *będę* | + BEZOKOLICZNIK | *będę* | + *czytać* |
| *będziesz* | | *będziesz* | |
| *będzie* | | *będzie* | |
| *będziemy* | | *będziemy* | |
| *będziecie* | | *będziecie* | |
| *będą* | | *będą* | |

**TYP 2**

| | | | r. męski | r. żeński | r. nijaki |
|---|---|---|---|---|---|
| *będę* | + FORMA CZASU PRZESZŁEGO III osoba l. poj. | *będę* | + *czytał* | + *czytała* | - - - - - - - |
| *będziesz* | | *będziesz* | + *czytał* | + *czytała* | - - - - - - - |
| *będzie* | | *będzie* | + *czytał* | + *czytała* | + *czytało* |

| | | | r. męskoosobowy | r. niemęskoosobowy |
|---|---|---|---|---|
| *będziemy* | + FORMA CZASU PRZESZŁEGO III osoba l. mn. | *będziemy* | + *czytali* | + *czytały* |
| *będziecie* | | *będziecie* | | |
| *będą* | | *będą* | | |

## CZAS PRZYSZŁY ZŁOŻONY

Czasu przyszłego złożonego, nazywanego również niedokonanym, używamy, gdy mówimy o zaplanowanych czynnościach, które będą trwały przez określony czas w przyszłości lub będą powtarzały się w czasie. Tworzymy go za pomocą czasownika posiłkowego *być* odmienionego w czasie przyszłym oraz właściwego *czasownika niedokonanego*.
Mamy dwa warianty budowy tego czasu, **oba są równoprawne**.

### Sposoby tworzenia

- **TYP 1**
  Jest to prostszy w tworzeniu wariant czasu przyszłego niedokonanego, w którym czasownik nazywający czynność pozostaje w bezokoliczniku.

**pisać**

| l. poj. | | l. mn. | |
|---|---|---|---|
| będę<br>będziesz<br>będzie | pisać | będziemy<br>będziecie<br>będą | pisać |

- **TYP 2**
  To trudniejszy w tworzeniu wariant, gdy odmieniany czasownik podajemy w 3 osobie odpowiednio liczby pojedynczej lub mnogiej, w rodzaju zgodnym z podmiotem zdania. Dzięki temu znamy płeć wykonawcy czynności.

**pisać**

| l. poj. | | | | l. mn. | | |
|---|---|---|---|---|---|---|
| | r.m. | r.ż. | r.n. | | r. męskoosobowy | r. niemęskoosobowy |
| będę<br>będziesz<br>będzie | pisał | pisała | pisało* | będziemy<br>będziecie<br>będą | pisali | pisały |

* rodzaj nijaki istnieje tylko w trzeciej osobie liczby pojedynczej: *będzie pisało*

### Uwaga

- **czasowniki modalne**
  W przypadku czasowników modalnych: *chcieć*, *móc*, *musieć*, *umieć*, *potrafić*, *woleć*, a także czasownika *iść*, zawsze używamy drugiego wariantu budowy czasu przyszłego.
  Przykładowo: *będę chciał, będziesz mogła, będzie musiało, będziemy umieli, będziecie potrafiły, będą woleli.*

**móc**

| l. poj. | | | | l. mn. | | |
|---|---|---|---|---|---|---|
| | r.m. | r.ż. | r.n. | | r. męskoosobowy | r. niemęskoosobowy |
| będę<br>będziesz<br>będzie | mógł | mogła | mogło* | będziemy<br>będziecie<br>będą | mogli | mogły |

* rodzaj nijaki istnieje tylko w trzeciej osobie liczby pojedynczej: *będzie mogło*

- **czasownik *iść***

| l. poj. | | | | l. mn. | | |
|---|---|---|---|---|---|---|
| | r.m. | r.ż. | r.n. | | r. męskoosobowy | r. niemęskoosobowy |
| będę<br>będziesz<br>będzie | szedł | szła | szło* | będziemy<br>będziecie<br>będą | szli | szły |

* rodzaj nijaki istnieje tylko w trzeciej osobie liczby pojedynczej: *będzie szło*

- **więcej niż jeden czasownik w zdaniu**
  Jeśli w zdaniu występuje więcej niż jeden czasownik oznaczający czynność, również używamy drugiego wariantu budowy czasu przyszłego.
  *Wieczorem będę próbowała skontaktować się z nim jeszcze raz.*
  *Dzieci będą uczyły się pisać bezwzrokowo na lekcji informatyki.*
  *Kiedy będziesz zaczynała przygotowywać obiad, zadzwoń do mnie.*

### Określenia czasowe

Mamy dwa sposoby określania czasu w czasie przyszłym: za pomocą przyimka *za* oraz wyrażenia *w przyszłym*, *w przyszły*, *w przyszłą...*, do których dodajemy inne określenia czasowe.

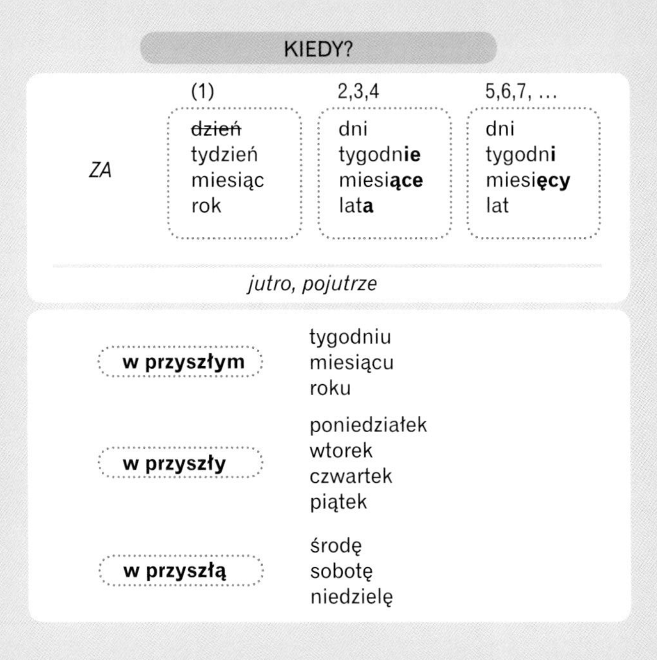


Uwaga! W języku polskim nie mówimy za *jeden dzień* tylko *jutro*. Natomiast możemy powiedzieć *za dwa dni* lub *pojutrze*.

## tab. 23 ASPEKT W CZASIE PRZESZŁYM

| ASPEKT NIEDOKONANY | ASPEKT DOKONANY |
|---|---|
| **RUTYNA**<br>codziennie, zawsze, często, od czasu do czasu, rzadko, co tydzień, ... | **JEDEN RAZ** |
| *Gdy byłem dzieckiem, codziennie **wstawałem** o 7:00.* | *Wczoraj **wstałem** o 10:00.* |
| **PROCES W CZASIE**<br>cały rok, dwa dni, pięć godzin, od pierwszej do drugiej, długo, ... | **MOMENT**<br>bardzo szybko, nagle, ... |
| *Od pierwszej do drugiej **jadłem** obiad.* | *Szybko **zjadłem** obiad, bo nie miałem czasu.* |
| **AKCJE RÓWNOCZESNE**<br>jednocześnie, w tym samym czasie, ... i ..., ... | **AKCJE CHRONOLOGICZNE**<br>najpierw ..., potem ... |
| ***Piliśmy** kawę i **rozmawialiśmy**.* | *Najpierw **wypiliśmy** kawę, a potem **porozmawialiśmy**.* |
| **NIE MA REZULTATU** | **JEST REZULTAT** |
| *Wczoraj **sprzątałam** mieszkanie, ale jeszcze nie jest czysto.* | *Wczoraj **posprzątałam** mieszkanie i nareszcie jest czysto.* |

**UWAGA: nie** decydują o aspekcie słowa typu: *wczoraj, w piątek, rok temu, o 20:00, ...*
**CZASOWNIKI:** ***być, mieć, mieszkać, pracować, studiować*** mają tylko formę niedokonaną.

## ASPEKT W CZASIE PRZESZŁYM

W języku polskim istnieje **kategoria aspektu**. Prawie wszystkie czasowniki występują w dwóch formach aspektowych: **niedokonanej** i **dokonanej**. Z aspektem niedokonanym mamy do czynienia w czasie przeszłym, teraźniejszym i przyszłym. Natomiast aspekt dokonany występuje tylko w czasie przeszłym i przyszłym.

### Aspekt niedokonany

W czasie przeszłym **aspektu niedokonanego** używamy dla wyrażenia czynności powtarzającej się, trwającej przez jakiś okres; czynności, która nie została skończona (nie przyniosła rezultatu) oraz dla dwóch lub więcej równoczesnych czynności.

#### Określenia czasu

- **czynność powtarzająca się**

codziennie, zawsze, zwykle, często, czasem, rzadko, nigdy
co 5 minut, co trzy godziny, co dwa dni, co tydzień, co miesiąc, co rok
raz dziennie, dwa razy w tygodniu, trzy razy w miesiącu, pięć razy w roku
systematycznie, regularnie, ciągle

*W zeszłym roku* ***codziennie*** *uczyłem się polskiego.*
*Wczoraj czekałem na ważną wiadomość i* ***co 10 minut*** *sprawdzałem konto mailowe.*
*Oni dzwonili do nas* ***dwa razy w tygodniu.***
*Ewa* ***regularnie*** *chodziła na siłownię.*

- **czynność trwająca przez określony czas**

(przez) cały dzień, cały tydzień, cały miesiąc, cały rok
(przez) kilka sekund, pięć minut, kwadrans, dwie godziny
(przez) całe popołudnie, cały wieczór, całą noc, całą dobę, cały weekend
(przez) całe lato, całą zimę, cały marzec, cały maj
od poniedziałku do piątku, od dwunastej do piętnastej
kiedy byłem dzieckiem, kiedy mieszkałam w Polsce, podczas wakacji
długo, krótko, przez moment

***Cały rok*** *malował ten obraz.*
*Tańczyliśmy* ***przez całą noc****.*
***Przez całe lato*** *jeździłam do pracy rowerem.*
***Od pierwszej do drugiej*** *dzieci grały w szachy.*
***Kiedy byliśmy na urlopie****, spacerowaliśmy i czytaliśmy książki.*
*Wczoraj Piotr bardzo* ***długo*** *słuchał muzyki.*

- **czynności równoczesne (niedokonane)**

jednocześnie, równocześnie, w tym samym czasie
...... i ......, ...... oraz ......
kiedy ja ......, on ...... .
podczas gdy my ......, oni ...... .

*Wczoraj powtarzaliśmy słownictwo i* ***jednocześnie*** *ćwiczyliśmy nową gramatykę.*
*Gotowałam obiad i (****w tym samym czasie****) słuchałam radia.*
***Kiedy ja*** *gotowałam, on sprzątał.*
***Podczas gdy*** *studenci pisali test, nauczyciel sprawdzał zadania domowe.*

### Aspekt dokonany

W czasie przeszłym **aspektu dokonanego** używamy dla wyrażenia czynności jednorazowej, krótkotrwałej, zakończonej (jest widoczny rezultat), a także dla dwóch lub więcej czynności dokonanych następujących po sobie.

#### Określenia czasu

Określenia czasu dla aspektu dokonanego nie są tak rozbudowane jak dla niedokonanego. Często nie występuje żadne określenie wskazujące na aspekt. Zwykle o aspekcie dokonanym decydują:

- **określenia podkreślające krótkotrwałość czynności lub jej rezultat**

już, w końcu, nareszcie, wreszcie, nagle, natychmiast, bardzo szybko

*Wczoraj* ***nareszcie*** *skończyłam ten projekt.*
***W końcu*** *to zrobiłeś.*
*Zjedliśmy* ***szybko*** *obiad i poszliśmy na spacer.*

- **określenia wskazujące na czynność jednorazową**

raz w życiu, jeden raz, tylko raz

*Spróbowałem* ***tylko raz*** *i więcej tego nie zrobię.*
***Raz w życiu*** *zrobiłem coś inaczej niż wszyscy.*

(!) *Nigdy* może również łączyć się z czasownikami dokonanymi.

*Nigdy cię nie okłamałem!*

## tab. 24 ASPEKT W CZASIE PRZYSZŁYM

| ASPEKT NIEDOKONANY | ASPEKT DOKONANY |
|---|---|
| być + bezokolicznik / forma czasu przeszłego III os. | normalna koniugacja |
| **RUTYNA** codziennie, zawsze, często, od czasu do czasu, rzadko, co tydzień, ... | **JEDEN RAZ** |
| *Na wakacjach codziennie **będę wstawać** o 10:00.* | *Jutro **wstanę** o 05:00, bo mam samolot.* |
| **PROCES W CZASIE** cały rok, dwa dni, pięć godzin, od pierwszej do drugiej, długo, ... | **MOMENT** bardzo szybko, nagle, ... |
| *Od pierwszej do drugiej **będę gotować** obiad.* | *Szybko **ugotuję** obiad, bo szkoda mi czasu.* |
| **AKCJE RÓWNOCZESNE** jednocześnie, w tym samym czasie, ... i ..., ... | **AKCJE CHRONOLOGICZNE** najpierw ..., potem ... |
| ***Będziemy pić** kawę i **rozmawiać**.* | *Najpierw **wypijemy** kawę, a potem **porozmawiamy**.* |
| **NIE MA REZULTATU** | **JEST REZULTAT** |
| *Jutro **będę sprzątać** mieszkanie.* | *Jutro **posprzątam** całe mieszkanie i nareszcie będzie czysto.* |

**UWAGA:** **nie** decydują o aspekcie słowa typu: *jutro, w piątek, za rok, o 20:00, ...*

# ASPEKT W CZASIE PRZYSZŁYM

## Aspekt niedokonany

W czasie przyszłym **aspektu niedokonanego** używamy dla wyrażenia czynności, która będzie powtarzać się w czasie, trwać przez jakiś okres; czynności, której rezultat nie będzie widoczny, bo nie zostanie skończona oraz dla dwóch lub więcej równoczesnych czynności niedokonanych.

### Określenia czasu

- **czynność powtarzająca się**

codziennie, zawsze, zwykle, często, czasem, rzadko, nigdy
co 5 minut, co trzy godziny, co dwa dni, co tydzień, co miesiąc, co rok
raz dziennie, dwa razy w tygodniu, trzy razy w miesiącu, pięć razy w roku
systematycznie, regularnie, ciągle

***Codziennie*** *będę wstawać wcześnie rano.*
*Jutro **co 10 minut** będę sprawdzała konto mailowe.*
*Oni będą dzwonili do mnie **dwa razy w tygodniu**.*
*W przyszłym roku **systematycznie** będę uczył się polskiego.*

- **czynność trwająca przez określony czas**

(przez) cały dzień, cały tydzień, cały miesiąc, cały rok
(przez) kilka sekund, pięć minut, kwadrans, dwie godziny
(przez) całe popołudnie, cały wieczór, całą noc, całą dobę, cały weekend
(przez) całe lato, całą zimę, cały marzec, cały maj
od poniedziałku do piątku, od dwunastej do piętnastej
kiedy będę na urlopie, kiedy będę mieszkał w Polsce, podczas wakacji
długo, krótko, przez moment

***Cały rok*** *będę mieszkać w Polsce.*
***Przez całą noc*** *będziemy kończyć ten projekt.*
***Przez całe lato*** *będziesz jeździć do pracy rowerem.*
***Od poniedziałku do piątku*** *będziecie chodzić do szkoły.*
***Kiedy będziemy na urlopie****, będziemy spacerować i czytać książki.*

- **czynności równoczesne (niedokonane)**

jednocześnie, równocześnie, w tym samym czasie
...... i ......, ...... oraz ......
kiedy ja ......, on ...... .
podczas gdy my ......, oni ...... .

*Jutro będziemy powtarzać słownictwo i **jednocześnie** ćwiczyć nową gramatykę.*
*Będę gotować obiad i (**w tym samym czasie**) słuchać radia.*
***Kiedy ja*** *będę gotowała, ty będziesz sprzątał.*
***Podczas gdy*** *studenci będą pisali test, nauczyciel będzie sprawdzał zadania.*

## Aspekt dokonany

W czasie przyszłym **aspektu dokonanego** używamy dla wyrażenia czynności jednorazowej, krótkotrwałej, którą planujemy zakończyć (będzie widoczny rezultat), a także dla dwóch lub więcej czynności dokonanych następujących po sobie.

### Określenia czasu

Określenia czasu dla aspektu dokonanego nie są tak rozbudowane jak dla niedokonanego. Często nie występuje żadne określenie wskazujące na aspekt. Zwykle o aspekcie dokonanym decydują:

- **określenia podkreślające krótkotrwałość czynności lub jej rezultat**

już, w końcu, nareszcie, wreszcie, nagle, natychmiast, bardzo szybko

*Dziś **nareszcie** skończę ten projekt.*
*Mam nadzieję, że **w końcu** to zrobisz.*
*Zjemy **szybko** obiad i pójdziemy na spacer.*

- **określenia wskazujące na czynność jednorazową**

raz w życiu, jeden raz, tylko raz

*Nigdy nie grałem w gry hazardowe. Spróbuję, ale **tylko raz**.*
***Raz w życiu*** *zrobię coś inaczej niż wszyscy.*

(!) *Nigdy* może również łączyć się z czasownikami dokonanymi.

*Nigdy cię nie okłamię!*

## Aspekt a typ czasu przyszłego

Aspekt odpowiada typowi czasu przyszłego. Czas przyszły złożony wyraża aspekt niedokonany (tworzenie - patrz tab. 21), natomiast czas przyszły prosty – aspekt dokonany. Jego budowa jest identyczna z budową czasu teraźniejszego (końcówki są identyczne), natomiast tworzymy go wyłącznie od czasowników dokonanych, które nie mogą występować w czasie teraźniejszym.

| **prze**czytać | | | | **z**robić | | | |
|---|---|---|---|---|---|---|---|
| (ja) | **prze**czytam | (my) | **prze**czytamy | (ja) | **z**robię | (my) | **z**robimy |
| (ty) | **prze**czytasz | (wy) | **prze**czytacie | (ty) | **z**robisz | (wy) | **z**robicie |
| on<br>ona<br>ono | **prze**czyta | oni<br>one | **prze**czytają | on<br>ona<br>ono | **z**robi | oni<br>one | **z**robią |

# tab. 25 PODSTAWOWE PARY ASPEKTOWE

| CZASOWNIKI NIEDOKONANE | CZASOWNIKI DOKONANE |
|---|---|
| czekać | poczekać |
| czytać | przeczytać |
| dawać | dać |
| dostawać | dostać |
| dziękować | podziękować |
| dzwonić | zadzwonić |
| gotować | ugotować |
| iść | pójść |
| jechać | pojechać |
| jeść | zjeść |
| kończyć | skończyć |
| kupować | kupić |
| lubić | polubić |
| myć | umyć |
| odwiedzać | odwiedzić |
| otwierać | otworzyć |
| pamiętać | zapamiętać |
| pić | wypić |
| pisać | napisać |
| płacić | zapłacić |
| podobać się | spodobać się |
| pomagać | pomóc |
| powtarzać | powtórzyć |
| prosić | poprosić |
| przepraszać | przeprosić |
| pytać | spytać |
| robić | zrobić |
| rozumieć | zrozumieć |
| spotykać się | spotkać się |
| szukać | poszukać |
| uczyć się | nauczyć się |
| umawiać się | umówić się |
| wracać | wrócić |
| zaczynać | zacząć |
| zamawiać | zamówić |
| zamykać | zamknąć |
| zapraszać | zaprosić |
| zwiedzać | zwiedzić |
| zostawać | zostać |

*Sprawdź, czy umiesz. Zrób ćwiczenia na:*

## NIEREGULARNE PARY ASPEKTOWE

| CZASOWNIKI NIEDOKONANE | CZASOWNIKI DOKONANE |
| --- | --- |
| brać | wziąć |
| mówić | powiedzieć |
| oglądać | obejrzeć |
| widzieć | zobaczyć |
| kłaść | położyć |
| wkładać | włożyć |
| znajdować | znaleźć |

| CZASOWNIKI WYSTĘPUJĄCE TYLKO W FORMIE NIEDOKONANEJ |
| --- |
| być |
| mieć |
| mieszkać |
| móc |
| musieć |
| woleć |
| pracować |
| studiować |
| wiedzieć |
| znać |
| żyć |

## tab. 26 CZASOWNIKI RUCHU 1

| | ASPEKT NIEDOKONANY | | ASPEKT DOKONANY |
|---|---|---|---|
| | RAZ, TERAZ, ZARAZ | ZAWSZE, ZWYKLE, CZĘSTO | WCZORAJ, JUTRO |
|  (dziś / wczoraj / jutro) | ***iść***<br>idę, idziesz<br>szedłem, szedłeś*<br>będę szedł** | ***chodzić***<br>chodzę, chodzisz<br>chodziłem, chodziłeś<br>będę chodził | ***pójść***<br>------------------<br>poszedłem, poszedłeś***<br>pójdę, pójdziesz |
|  | ***jechać***<br>jadę, jedziesz<br>jechałem, jechałeś<br>będę jechał | ***jeździć***<br>jeżdżę, jeździsz<br>jeździłem, jeździłeś<br>będę jeździł | ***pojechać***<br>------------------<br>pojechałem, pojechałeś<br>pojadę, pojedziesz |
|  | ***lecieć***<br>lecę, lecisz<br>leciałem, leciałeś<br>będę leciał | ***latać***<br>latam, latasz<br>latałem, latałeś<br>będę latał | ***polecieć***<br>------------------<br>poleciałem, poleciałeś<br>polecę, polecisz |
|  | ***płynąć***<br>płynę, płyniesz<br>płynąłem, płynąłeś<br>będę płynął | ***pływać***<br>pływam, pływasz<br>pływałem, pływałeś<br>będę pływał | ***popłynąć***<br>------------------<br>popłynąłem, popłynąłeś<br>popłynę, popłyniesz |

Uwaga na formy rodzaju żeńskiego: *szłam, szłaś / **będę szła / ***poszłam, poszłaś

## CZASOWNIKI RUCHU 1

Czasowniki ruchu to osobna grupa, której wspólną cechą, oprócz semantycznej, jest istnienie trzech form każdego czasownika: niedokonanej, dokonanej i iteratywnej oznaczającej powtarzalność, wielokrotność danej czynności.
Do najczęściej używanych czasowników ruchu należą *iść*, *chodzić*, *pójść* i *jechać*, *jeździć*, *pojechać* oraz te, które zostały utworzone na ich bazie.

### ■ iść, chodzić, pójść

Czasowników tych używamy, kiedy mówimy o poruszaniu się pieszo, a także gdy mówimy o ogólnych atrakcjach: kinie, teatrze, filharmonii, imprezie itd. (*idę do kina, często chodzimy do teatru, pójdę na koncert*). *Iść* i *chodzić* to formy niedokonane, a *pójść* ma aspekt dokonany.

- **iść**
  Formy tej używamy dla czynności jednorazowej niedokonanej lub takiej, która odbywa się teraz albo odbędzie się w najbliższej przyszłości.

  *Dziś idę do szkoły razem z siostrą.*
  *Nie mogę teraz rozmawiać, bo idę ruchliwą ulicą i nic nie słyszę.*
  *Po południu idę odwiedzić chorą koleżankę.*

- **chodzić**
  Formy tej używamy dla wyrażenia czynności powtarzającej się, rutynowej. Często występuje ona z określeniami czasu: *zawsze, zwykle, ... nigdy*.

  *Ona chodzi do szkoły podstawowej.*
  *On codziennie chodzi na spacer.*
  *Nigdy tam nie chodzę.*

- **pójść**
  Formy dokonanej używamy dla wyrażenia czynności jednorazowej, krótkotrwałej, którą zakończyliśmy lub planujemy zakończyć (będzie widoczny rezultat).

  *Tato poszedł do sklepu i kupił chleb.*
  *Pójdziemy do znajomych, wrócimy przed północą.*
  *Pójdę do biblioteki i wypożyczę tę książkę.*

### ■ jechać, jeździć, pojechać

Czasowników tych używamy, kiedy mówimy o poruszaniu się za pomocą środków transportu lub gdy cel naszej drogi jest odległy (*jadę do Gdańska, jedziemy w daleką podróż*). *Jechać* i *jeździć* to formy niedokonane, a *pojechać* ma aspekt dokonany.

- **jechać**
  Formy tej używamy dla czynności jednorazowej lub takiej, która odbywa się teraz albo ma mieć miejsce w najbliższej przyszłości.

  *Dziś jadę do szkoły tramwajem.*
  *Nie mogę teraz rozmawiać, bo jadę pociągiem i nic nie słyszę.*
  *Jadę w weekend w góry.*

- **jeździć**
  Formy tej używamy dla wyrażenia czynności powtarzającej się, rutynowej. Często występuje ona z określeniami czasu: *zawsze, zwykle... nigdy.*

  *W wakacje jeździmy na wieś.*
  *Zwykle jeżdżę do szkoły autobusem.*

- **pojechać**
  Formy dokonanej używamy dla wyrażenia czynności jednorazowej, krótkotrwałej, którą zakończyliśmy lub planujemy zakończyć (będzie widoczny rezultat).

  *Pojechałem do Warszawy i obejrzałem tę wystawę.*
  *Pojedziemy na wakacje i wrócimy wypoczęci.*

### ■ lecieć, latać, polecieć

Czasowniki te oznaczają poruszanie się w powietrzu. Mogą odnosić się do ptaków, owadów lub ludzi, którzy poruszają się za pomocą środków transportu (*samolotem, helikopterem, lotnią, balonem itd.*). W mowie potocznej czasowniki te są używane, kiedy ktoś lub coś szybko się porusza, idzie lub biegnie. Zasady ich użycia są analogiczne do omówionych już zasad stosowania czasowników: *iść, chodzić, pójść*.

*Muszę wyłączyć komórkę, bo lecę samolotem.*
*On często lata tanimi liniami i korzysta z różnych promocji.*
*Może kiedyś polecimy do Ameryki.*
*Lecę do domu, bo jest bardzo późno.*

### ■ płynąć, pływać, popłynąć

Czasowniki te oznaczają poruszanie się po wodzie. Odnoszą się zarówno do fizycznego wykonywania czynności pływania, jak i poruszania się za pomocą środków transportu (*statkiem, promem, jachtem, łódką itd.*). Używamy ich analogicznie do czasowników: *iść, chodzić, pójść*.

*Płyniemy jachtem przez Kanał Augustowski.*
*Uwielbiam pływać w morzu.*
*Jutro popłynę na drugi brzeg jeziora.*

# tab. 27 CZASOWNIKI RUCHU 2

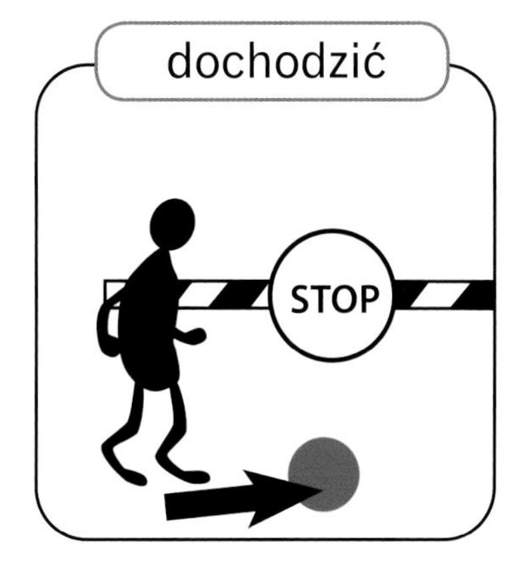

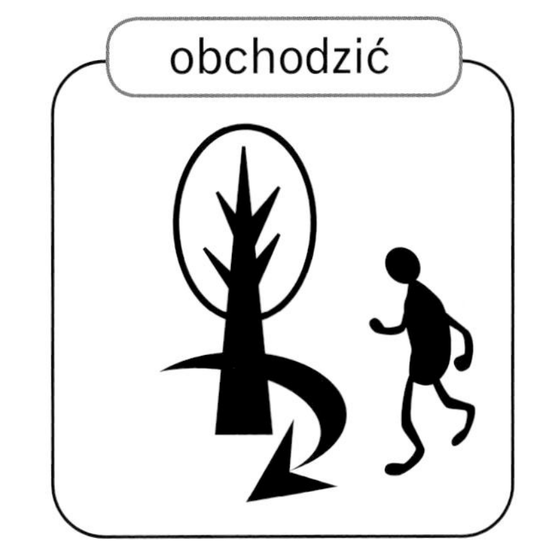

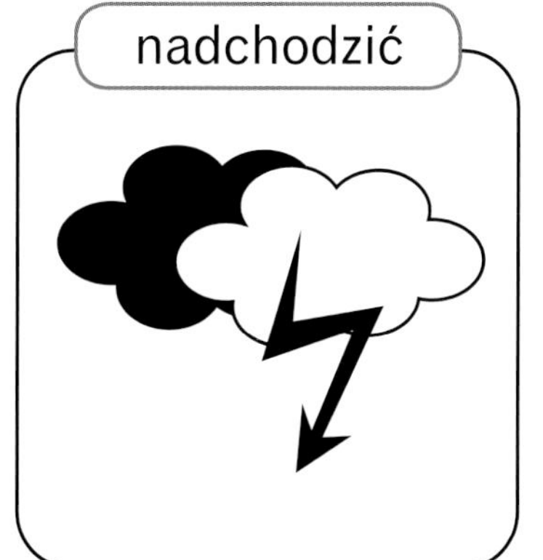

# CZASOWNIKI RUCHU 2

## ■ Czasowniki ruchu tworzone na bazie *iść*

Czasowniki te budujemy zawsze według tej samej reguły. Dodajemy odpowiedni prefiks do podstawowej odmiany *iść*, przy czym zawsze następuje alternacja i:**j**.

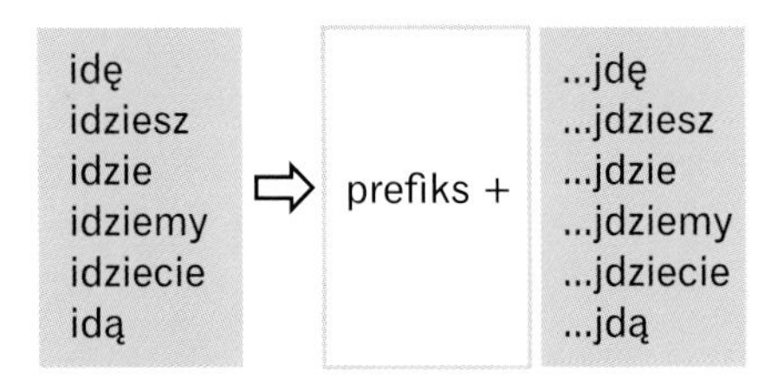

| | | |
|---|---|---|
| idę | ⇨ prefiks + | ...jdę |
| idziesz | | ...jdziesz |
| idzie | | ...jdzie |
| idziemy | | ...jdziemy |
| idziecie | | ...jdziecie |
| idą | | ...jdą |

| pójść | wyjść | wejść | zejść | przyjść | przejść | dojść |
|---|---|---|---|---|---|---|
| pójdę | wyjdę | wejdę | zejdę | przyjdę | przejdę | dojdę |
| pójdziesz | wyjdziesz | wejdziesz | zejdziesz | przyjdziesz | przejdziesz | dojdziesz |
| pójdzie | wyjdzie | wejdzie | zejdzie | przyjdzie | przejdzie | dojdzie |
| pójdziemy | wyjdziemy | wejdziemy | zejdziemy | przyjdziemy | przejdziemy | dojdziemy |
| pójdziecie | wyjdziecie | wejdziecie | zejdziecie | przyjdziecie | przejdziecie | dojdziecie |
| pójdą | wyjdą | wejdą | zejdą | przyjdą | przejdą | dojdą |

Czas przeszły tych czasowników tworzymy na bazie nieregularnej formy przeszłej czasownika *iść*. Uwaga na redukcję *-e* w rodzaju męskim w liczbie pojedynczej.

| | | l. poj. | | l. poj. | l. mn. | l. mn. |
|---|---|---|---|---|---|---|
| pójść | **po** | szedłem | **po** | szłam | szliśmy | szłyśmy |
| wyjść | **wy** | szedłeś | **wy** | szłaś | szliście | szłyście |
| wejść | **w** | szedł | **we** | szła | szli | szły |
| zejść | **z** | | **ze** | | | |
| przyjść | **przy** | | **przy** | | | |
| przejść | **prze** | | **prze** | | | |
| dojść | **do** | | **do** | | | |
| odejść | **od** | | **od**e | | | |
| podejść | **pod** | | **pod**e | | | |
| rozejść | **roz** | | **roz**e | | | |
| nadejść | **nad** | | **nad**e | | | |

## ■ Czasowniki ruchu tworzone na bazie *chodzić*

Czasowniki te tworzymy bardzo regularnie, dodając do podstawowej odmiany *chodzić* odpowiedni prefiks. Czas przeszły tworzymy od nich standardowo (*wychodziłem itd.*).

| wychodzić | wchodzić | dochodzić | schodzić | przychodzić | przechodzić |
|---|---|---|---|---|---|
| **wy**chodzę | **w**chodzę | **do**chodzę | **s**chodzę | **przy**chodzę | **prze**chodzę |
| **wy**chodzisz | **w**chodzisz | **do**chodzisz | **s**chodzisz | **przy**chodzisz | **prze**chodzisz |
| **wy**chodzi | **w**chodzi | **do**chodzi | **s**chodzi | **przy**chodzi | **prze**chodzi |
| **wy**chodzimy | **w**chodzimy | **do**chodzimy | **s**chodzimy | **przy**chodzimy | **prze**chodzimy |
| **wy**chodzicie | **w**chodzicie | **do**chodzicie | **s**chodzicie | **przy**chodzicie | **prze**chodzicie |
| **wy**chodzą | **w**chodzą | **do**chodzą | **s**chodzą | **przy**chodzą | **prze**chodzą |

## ■ Ruch bez określonego kierunku

Jeżeli ruch nie odbywa się w określonym kierunku, to używamy formy iteratywnej czasownika, która to forma tutaj nie oznacza powtarzalności. Interesujące jest, że w przypadku form wyrażających ruch bezkierunkowy, możemy utworzyć od nich osobny aspekt dokonany.

*Agnieszka chodzi po Starym Mieście i robi zdjęcia.*
*Agnieszka pochodziła po Starym Mieście i zrobiła ładne zdjęcia.*
*Jutro pochodzę po sklepach, żeby kupić ojcu prezent.*

*Dzieci biegają po parku.*
*Dzieci pobiegały po parku i wróciły do domu.*
*Niech dzieci pobiegają po ogrodzie przed kolacją.*

*Adaś jeździ na rowerze przed domem.*
*Adaś pojeździł na rowerze, a potem z apetytem zjadł obiad.*
*W weekend Marek pojeździ po okolicy, może znajdzie jakiś dom na sprzedaż.*

*Dorota pływa w jeziorze.*
*Dorota popływała w jeziorze, a teraz opala się na brzegu.*
*Skończyła się burza, idę popływać w jeziorze.*

## tab. 28 TRYB ROZKAZUJĄCY

|  | | |
|---|---|---|
| KONIUGACJA 1 **-ę, -esz** | *regularnie* | *pisz~~esz~~ → pisz!* |
| KONIUGACJA 1 **-ę, -esz** | *alternacje* | *wytrzesz → wytrz-~~esz~~ → wytrz+yj!* |
| KONIUGACJA 1 **-ę, -esz** | *alternacje* | *weźmiesz → weźmi-~~esz~~ → weź!* |
| KONIUGACJA 1 **-ę, -esz** | *alternacje* | *zadajesz → zadaj-~~esz~~ → zadawaj!* |
| KONIUGACJA 2 **-ę, -isz / -ysz** | *regularnie* | *mów~~isz~~ → mów!* |
| KONIUGACJA 2 **-ę, -isz / -ysz** | *alternacje* | *chodzisz → chodz-~~isz~~ → chodź!* |
| KONIUGACJA 2 **-ę, -isz / -ysz** | *alternacje* | *robisz → rob-~~isz~~ → rób!* |
| KONIUGACJA 2 **-ę, -isz / -ysz** | *alternacje* | *zapomnisz → zapomn-~~isz~~ → zapomn+ij!* |
| KONIUGACJA 3 **-m, -sz** | *regularnie* | *czytaj-~~ą~~ → czytaj!* |

| PRZYKŁAD | |
|---|---|
| ---------------- *pisz!* **niech** *pisze!* | *pisz***my***!* *pisz***cie***!* **niech** *piszą!* |
| ---------------- *mów!* **niech** *mówi!* | *mów***my***!* *mów***cie***!* **niech** *mówią!* |
| ---------------- *czytaj!* **niech** *czyta!* | *czytaj***my***!* *czytaj***cie***!* **niech** *czytają!* |

## TRYB ROZKAZUJĄCY

Tryb rozkazujący wyraża **polecenie, rozkaz, zakaz, życzenie** lub **prośbę**.
Tworzymy go od czasowników dokonanych i niedokonanych.

- **funkcje**

| | |
|---|---|
| **polecenie** | *Otwórzcie książki na stronie 34.* |
| **nakaz** | *Niech pan to zrobi natychmiast!* |
| **zakaz** | *Niech pani nie parkuje tutaj!* |
| **życzenie** | *Wypoczywajcie i bawcie się dobrze!* |
| **prośba** | *Zostań ze mną!* |
| **apel** | *Chrońmy środowisko!* |

- **tworzenie**

Bazą dla form trybu rozkazującego jest **temat czasu teraźniejszego**. Dla czasowników z **I** i **II koniugacji** (*-ę, -esz; -ę, -isz/-ysz*) temat znajdujemy po odcięciu końcówki **2 osoby liczby pojedynczej**. Natomiast dla czasowników **III koniugacji** (*-m, -sz*) po odcięciu końcówki **3 osoby liczby mnogiej**. Formy trybu rozkazującego tworzymy dla wszystkich osób z wyjątkiem pierwszej osoby liczby pojedynczej.

- **końcówki**

| | |
|---|---|
| ----------- | -my |
| ø, -ij/-yj | -cie |
| niech + 3 os. l. poj. | niech + 3 os. l. mn. |

**Druga osoba liczby pojedynczej** trybu rozkazującego jest równa tematowi, czyli ma końcówkę zerową ***-ø***. Czasem po niektórych grupach spółgłoskowych może się pojawić końcówka ***-ij*** / ***-yj***.

I i II koniugacja: *piszø, tańczø, zapomnij, umyj*
III koniugacja: *kochajø, umiejø*

**Pierwszą osobę liczby mnogiej** tworzymy przez dodanie do formy 2 os. l. poj. końcówki ***-my***.

*piszmy, kochajmy, zapomnijmy*

**Drugą osobę liczby mnogiej** tworzymy przez dodanie do formy 2 os. l. poj. końcówki ***-cie***.

*piszcie, kochajcie, zapomnijcie*

**Trzecią osobę liczby pojedynczej** i **mnogiej** tworzymy przez dodanie partykuły ***niech*** do standardowej formy czasownika w tych osobach.

*niech pan pisze, niech pan zapomni*
*niech państwo piszą, niech państwo zapomną*

Niekiedy za pomocą partykuły *niech* tworzy się również formę **pierwszej osoby liczby pojedynczej**. Robi się to zazwyczaj w celach stylistycznych (*Niech ja go tylko spotkam!*).

- **alternacje**

| | | | |
|---|---|---|---|
| o:ó | robisz - rób | si:ś | prosisz - proś |
| | stoisz - stój | zi:ź | wozisz - woź |
| ci:ć | płacisz - płać | ni:ń | płyniesz - płyń |
| dzi:dź | chodzisz - chodź | | |

Mimo odcięcia końcówki *-isz*, spółgłoski palatalne nadal zostają miękkie i dlatego w zapisie musi pojawić się zmiękczenie (*ć, dź, ś, ź, ń*). Jeśli po odcięciu innej końcówki na końcu słowa po spółgłosce palatalnej zostaje *-i*, to również musimy ją zapisać w formie krótkiej (*płyniesz - płyń*) lub dodać -j (*biegniesz - biegnij*). Czasem temat czasownika ulega poszerzeniu (*zadajesz – zadawaj*) lub redukcji (*weźmiesz - weź*).

- **formy fakultatywne**

Zdarza się, że czasownik ma dwie formy oboczne trybu rozkazującego.

*spojrzyj - spójrz*
*napełnij - napełń*

- **formy przeczące**

Po przeczeniu w trybie rozkazującym zwykle używamy form niedokonanych czasownika.

*Zrób to!* → *Nie rób tego!*
*Kup te jabłka!* → *Nie kupuj tych jabłek!*
*Zamknijcie okno!* → *Nie zamykajcie okna!*
*Niech pani to otworzy!* → *Niech pani tego nie otwiera!*

**Uwaga**

- Tryb rozkazujący jest bezpośredni i przez to może brzmieć dość niegrzecznie. Dlatego w sytuacjach oficjalnych lepiej używać formy grzecznościowej *proszę + bezokolicznik* lub formy trybu rozkazującego złagodzić przez dodanie *proszę*.

*Niech pan otworzy okno!* → *Proszę otworzyć okno!*
*Niech pani siada!* → *Proszę usiąść!*
*Niech państwo zaczekają!* → *Proszę zaczekać!*

- Kiedy w trybie rozkazującym dla wyrażenia nakazu używamy czasownika niedokonanego, w niektórych sytuacjach może to sygnalizować zniecierpliwienie nadawcy i być traktowane jako ponaglanie adresata.

*Otwieraj okno! Zamykaj te drzwi! Kupuj ten chleb!*

- Formy neutralne to formy dokonane.

*Otwórz okno! Zamknij drzwi! Kup chleb!*

# TRYB WARUNKOWY

## BYĆ

| r. męski | | r. żeński | | r. nijaki | |
|---|---|---|---|---|---|
| byłbym | bylibyśmy | byłabym | byłybyśmy | ---------------- | byłybyśmy |
| byłbyś | bylibyście | byłabyś | byłybyście | ---------------- | byłybyście |
| byłby | byliby | byłaby | byłyby | byłoby | byłyby |

## MÓC

| r. męski | | r. żeński | | r. nijaki | |
|---|---|---|---|---|---|
| mógłbym | moglibyśmy | mogłabym | mogłybyśmy | ---------------- | mogłybyśmy |
| mógłbyś | moglibyście | mogłabyś | mogłybyście | ---------------- | mogłybyście |
| mógłby | mogliby | mogłaby | mogłyby | mogłoby | mogłyby |

## CHCIEĆ

| r. męski | | r. żeński | | r. nijaki | |
|---|---|---|---|---|---|
| chciałbym | chcielibyśmy | chciałabym | chciałybyśmy | ---------------- | chciałybyśmy |
| chciałbyś | chcielibyście | chciałabyś | chciałybyście | ---------------- | chciałybyście |
| chciałby | chcieliby | chciałaby | chciałyby | chciałoby | chciałyby |

## TRYB WARUNKOWY

Tryb warunkowy, zwany inaczej przypuszczającym, mówi o czynności hipotetycznie możliwej, wyraża prośbę, życzenie. Służy do wypowiadania hipotez i przypuszczeń, a także do budowy zdań warunkowych. Tworzymy go od czasowników niedokonanych i dokonanych.

- **funkcje**

| | |
|---|---|
| **prośba** | *Czy mógłby mi pan pomóc? Chciałabym kupić bilet.* |
| **życzenie** | *Chciałbym pojechać w daleką podróż.* |
| **złagodzony rozkaz** | *Zrobiłbyś porządek w pokoju!* |
| **wątpliwość** | *Umiałbyś to zrobić?* |
| **hipotezy i przypuszczenia** | *Napisałabym ten test lepiej niż ty.* |
| **możliwość** | *Myślę, że mógłbym to zrobić.* |
| **sugestia** | *Mógłbyś wreszcie skończyć ten projekt.* |
| **tworzenie zdań warunkowych** | *Gdybym wygrał ten konkurs, pojechałbym do Paryża.*<br>*Zadzwoniłbym, gdybym nie zgubił komórki.*<br>*Aby rozpocząć pracę w naszej firmie, musiałby pan przejść miesięczne szkolenie.* |

- **tworzenie**
  Bazą dla trybu warunkowego jest forma **3 osoby liczby pojedynczej** bądź **mnogiej czasu przeszłego**, do których dodajemy odmienioną partykułę ***by***. Formy trybu przypuszczającego tworzymy dla wszystkich osób.

- **końcówki**

| | | | |
|---|---|---|---|
| (ja) | bym | (my) | byśmy |
| (ty) | byś | (wy) | byście |
| on/ona /ono | by | oni/one | by |

- **partykuła *by*** może występować samodzielnie, stawiamy ją wówczas przed czasownikiem i piszemy osobno.

  *Chętnie **bym** kupił nowy samochód.*
  *Czy wy **byście** chcieli pojechać z nami?*
  *Ty **byś** na pewno to zrobił lepiej!*

- **spójniki**
  Partykułę *by* łączy się również ze spójnikami, piszemy ją wówczas łącznie (*gdybym, jeślibyś, jeżeliby, jakbyśmy*).

  ***Gdybym*** miała samochód, to nie musiałabym chodzić na piechotę.
  ***Jeślibyśmy*** zdążyli na autobus, nie musielibyśmy jechać taksówką.
  ***Jeżelibyś*** przyszedł wcześniej, dostałbyś deser.
  ***Jakbyście*** zrobili zadanie domowe, nie mielibyście problemu.

  Wszystkie powyższe zdania można również przekształcić.

  *Jeśli **miałabym** samochód, to nie musiałabym chodzić na piechotę.*
  *Jeśli **zdążylibyśmy** na autobus, nie musielibyśmy jechać taksówką.*
  *Jeżeli **przyszedłbyś** wcześniej, dostałbyś deser.*
  ***Jak zrobilibyście** zadanie domowe, nie mielibyście problemu.*

- **formy nieosobowe**
  W połączeniach z formami nieosobowymi partykułę *by* piszemy osobno.

  *można by*
  *trzeba by*
  *warto by*

- **akcent**
  Ponieważ partykuła *by* w połączeniu z czasownikiem jest **nieakcentowana**, to w trybie przypuszczającym akcent może padać na **trzecią** lub nawet **czwartą sylabę** od końca.

  akcent na trzecią sylabę:

| | |
|---|---|
| *(ja)* | *na**pi**sałbym, prze**czy**tałbym, napi**sa**łabym, przeczy**ta**łabym* |
| *(ty)* | ***ku**piłbyś, zro**zu**miałbyś, ku**pi**łabyś, zrozu**mia**łabyś* |
| *(on)* | *o**bej**rzałby, za**mó**wiłby* |
| *(ona, ono)* | *obej**rza**łaby, zamó**wi**łaby, obej**rza**łoby, zamó**wi**łoby* |
| *(oni, one)* | ***mog**liby, zro**bi**liby, **mog**łyby, zro**bi**łyby* |

  akcent na czwartą sylabę:

| | |
|---|---|
| *(my)* | ***chcie**libyśmy, powtó**rzy**libyśmy, **chcia**łybyśmy, powtó**rzy**łybyśmy* |
| *(wy)* | *otwo**rzy**libyście, poczе**ka**libyście, otwo**rzy**łybyście, pocze**ka**łybyście* |

**Formy grzecznościowe**

Formy trybu przypuszczającego są używane w zwrotach grzecznościowych. Prośby możemy formułować na wiele sposobów, nie tylko przy użyciu czasowników modalnych. Sama forma trybu warunkowego sprawia, że wypowiedź jest grzeczna.

*Czy mógłby pan zamknąć okno?*
*Czy mogłaby pani powtórzyć?*
*Mógłbyś mi to podać?*
*Mogłabyś zadzwonić później?*
*Chciałbym zarezerwować pokój.*
*Chcielibyśmy prosić o pomoc.*
*Czy byłby pan tak uprzejmy i skasował mi bilet.*
*Czy byłaby pani tak miła i pomogła mi.*
*Zrobiłbyś coś dla mnie?*
*Kupilibyście chleb?*
*Pomogłabyś mi z tym zadaniem?*
*Odwiedziłabyś babcię?*

 

# PRZYIMKI STATYCZNE

## PRZYIMKI STATYCZNE

Przyimki statyczne określają położenie osoby lub przedmiotu, łączą się z **miejscownikiem**, **narzędnikiem** lub **dopełniaczem**.

### Pytania

Przyimki statyczne łączą się z pytaniem *gdzie?* oraz z pytaniami przypadków, z którymi wchodzą w związek.

| | | |
|---|---|---|
| gdzie?<br>na czym?<br>w czym?<br>przy czym?<br>po czym? | *Gdzie mieszkacie?*<br>*Na czym leży książka?*<br>*W czym pijesz herbatę?*<br>*Przy czym siedzi pies?*<br>*Po czym spaceruje kot?* | MIEJSCOWNIK |
| przed czym?<br>za czym?<br>nad czym?<br>pod czym?<br>między czym? | *Przed czym stoisz?*<br>*Za czym siedziało dziecko?*<br>*Nad czym wisi lampa?*<br>*Pod czym śpi kot?*<br>*Między czym a czym stoi fotel?* | NARZĘDNIK |
| obok czego?<br>koło czego?<br>naprzeciwko czego?<br>na wprost czego?<br>wzdłuż czego? | *Obok czego zaparkowałeś?*<br>*Koło czego wisi plakat?*<br>*Naprzeciwko czego jest kawiarnia?*<br>*Na wprost czego są drzwi?*<br>*Wzdłuż czego stoi regał?* | DOPEŁNIACZ |

Wszystkie te pytania mogą występować również z zaimkiem *kto*.

*Przy kim zatrzymał się profesor?*
*Przed kim stoisz?*
*Między kim a kim siedziałaś w kinie?*
*Obok kogo siedziałaś na egzaminie?*
*Naprzeciwko kogo stoi Marcin?*
*U kogo była Ewa?*

- **obok, koło**

  Przyimki *obok* i *koło* mają identyczne znaczenie. Często zamiast tych przyimków używamy przysłówków: *blisko*, *niedaleko*.

- **na wprost, naprzeciwko**

  Przyimki *na wprost* i *naprzeciwko* również mają bardzo zbliżone znaczenie, ale należy pamiętać, że *na wprost* zwykle występuje w funkcji przyimka dynamicznego.

  *Usiądź na wprost mnie.*

  Tylko w nielicznych kontekstach przyimek *na wprost*, występuje w funkcji przyimka statycznego.

  *Łazienka jest na wprost.*
  *Zawodnicy stoją na wprost siebie.*

  Najczęściej dla określenia położenia używamy przyimka *naprzeciwko.*

- **u**

  Przyimka *u* używamy, kiedy informujemy, że ktoś lub coś znajduje się u innej osoby. Łączy się on z dopełniaczem. Stosujemy go również, gdy mówimy o punktach usługowych, w których nazwie jest osoba wykonująca usługę (u szewca, u optyka). Przyimek *u* często jest wykorzystywany w nazwach restauracji, kawiarni czy sklepów, oznacza wtedy zwykle imię właściciela.

  *Byliśmy na obiedzie u rodziców.*
  *W Łodzi nocowałam u koleżanki.*
  *Byłam u krawca skrócić spodnie.*
  *W barze „U Babci Maliny" są najlepsze obiady.*

- **wygłosowe *e***

  Niektóre przyimki mają dwie formy. Kiedy słowo po przyimku zaczyna się od grupy spółgłoskowej, do przyimka dodajemy *e*, które ułatwia wymowę. Najczęściej formy te występują przed zaimkiem osobowym.

  | | |
  |---|---|
  | *we* | *we mnie, we Francji* |
  | *nade* | *nade mną* |
  | *pode* | *pode mną* |
  | *przede* | *przede mną, przede wszystkim* |

### Przykłady

| ***na, w, przy, po*** + MIEJSCOWNIK | ***przed, za, nad, pod, między*** + NARZĘDNIK | ***obok, koło, naprzeciwko, na wprost, wzdłuż, u*** + DOPEŁNIACZ |
|---|---|---|
| Książka leży *na stole*.<br>Jestem *na basenie*.<br>Spotkaliśmy się *na kawie*.<br>Tańczyliśmy *na imprezie*. | Auto jest *przed domem*.<br>Stałam *przed panem*.<br>Usiadł *przede mną*. | Kościół jest *obok poczty*.<br>Mogę usiąść *obok ciebie*?<br>Pies śpi *obok kota*. |
| Mieszkamy *we Francji*.<br>Byli *w domu*.<br>Spotkałam go *w górach*.<br>Ubrania wiszą *w szafie*. | Ogród jest *za domem*.<br>But leżał *za kanapą*. | Kot śpi *koło psa*.<br>Dzieci bawią się *koło domu*. |
| Student stoi *przy tablicy*.<br>Krzesło stoi *przy biurku*.<br>*Przy domu* rosną róże.<br>Siedział *przy mnie*. | Lampa wisi *nad stołem*.<br>Samolot leciał *nad górami*. | Mieszkam *naprzeciwko kościoła*. |
| Kot chodzi *po dachu*.<br>Dzieci biegają *po parku*.<br>Auta jeżdżą *po ulicy*.<br>Nie skacz *po mnie*! | Pies śpi *pod stołem*.<br>Gazeta leżała *pod drzwiami*. | *Naprzeciwko banku* zbudowano hotel. |
| | Okulary leżą *między książkami*.<br>Dziecko stało *między ojcem a matką*. | Siedzę *na wprost ciebie*.<br>Stał *na wprost drzwi*. |
| | | Dzieci siedzą *wzdłuż ściany*.<br>Domy stoją *wzdłuż drogi*. |
| | | Byłam *u Adama*.<br>Mieszkam *u babci*. |

## tab. 31 PRZYIMKI STATYCZNE I DYNAMICZNE

| | DOKĄD? | GDZIE? | SKĄD? |
|---|---|---|---|
| **MIASTO KRAJ BUDYNEK** | **do + DOPEŁNIACZ**<br>do Warszawy<br>do Polski<br>do kina | **w + MIEJSCOWNIK**<br>w Warszawie<br>w Polsce<br>w kinie | **z + DOPEŁNIACZ**<br>z Warszawy<br>z Polski<br>z kina |
| **GÓRY** | **w + BIERNIK**<br>w Tatry | **w + MIEJSCOWNIK**<br>w Tatrach | **z + DOPEŁNIACZ**<br>z Tatr |
| **WODA** | **nad + BIERNIK**<br>nad rzekę | **nad + NARZĘDNIK**<br>nad rzeką | **znad + DOPEŁNIACZ**<br>znad rzeki |
| **PLAC WYSPA WYDARZENIE** | **na + BIERNIK**<br>na rynek<br>na Kretę<br>na spotkanie | **na + MIEJSCOWNIK**<br>na rynku<br>na Krecie<br>na spotkaniu | **z + DOPEŁNIACZ**<br>z rynku<br>z Krety<br>ze spotkania |

## PRZYIMKI DYNAMICZNE

Przyimki dynamiczne łączą się z czasownikami ruchu i wskazują nie tylko na miejsce, ale również na kierunek ruchu lub jego cel. Przyimki dynamiczne łączą się z biernikiem, dopełniaczem i celownikiem (celownik występuje po przyimkach *ku*, *naprzeciw*, które używane są bardzo rzadko, spotkać je można w języku literackim).

### ■ Pytania

Przyimki dynamiczne łączą się z pytaniem *dokąd?*, *skąd?* oraz z pytaniami przypadków, z którymi wchodzą w związek.

| | | |
|---|---|---|
| na co? | *Na co idziecie do teatru?* | BIERNIK |
| w co? | *W co włożyć te kwiaty?* | |
| po co? | *Po co poszedłeś do kiosku?* | |
| przez co? | *Przez co przechodzi staruszka?* | |
| za co? | *Za co wszedł kot?* | |
| przed co? | *Przed co wybiegł zawodnik?* | |
| nad co? | *Nad co nadleciał samolot?* | |
| pod co? | *Pod co wpadła piłka?* | |
| między co? | *Między co wbiegł policjant?* | |
| do czego? | *Do czego spakować te rzeczy?* | DOPEŁNIACZ |
| z czego? | *Z czego spadłeś?* | |
| od czego? | *Od czego oderwał się guzik?* | |
| znad czego? | *Znad czego wrócili?* | |
| sprzed czego? | *Sprzed czego odjechał autobus?* | |
| zza czego? | *Zza czego wyjechała taksówka?* | |
| spod czego? | *Spod czego wyszedł kot?* | |
| ku czemu? | *Ku czemu biegło dziecko?* | CELOWNIK |
| naprzeciw czemu? | *Naprzeciw czemu wyszedł ojciec?* | |

Pytania te mogą występować również z zaimkiem *kto*.

| | |
|---|---|
| w kogo? | *W kogo wpadłeś?* |
| po kogo? | *Po kogo poszedłeś do szkoły?* |
| przez kogo? | *Przez kogo przeskoczyłeś?* |
| przed kogo? | *Przed kogo wybiegł zawodnik?* |
| między kogo? | *Między kogo wbiegł policjant?* |
| do kogo? | *Do kogo idziesz na imieniny?* |
| od kogo? | *Od kogo wracasz?* |
| naprzeciw komu? | *Naprzeciw komu wyszedł ojciec?* |

- **wygłosowe *e***

  Niektóre przyimki mają dwie formy. Kiedy słowo po przyimku zaczyna się od grupy spółgłoskowej, do przyimka dodajemy *e*, które ułatwia wymowę. Najczęściej formy te występują przed zaimkiem osobowym.

| | |
|---|---|
| *ze* | *ze mnie, ze Szwajcarii* |
| *nade* | *nade mnie, nade wszystko* |
| *pode* | *pode mnie* |
| *przede* | *przede mnie* |

### Przykłady

***na, w, po, przez, za, przed, nad, pod, między*** + BIERNIK

Idę *na pocztę*.
Przyjdziesz *na spotkanie*?
Jadę *w góry*.
Pójdziesz *po chleb*?
Proszę zadzwonić *po lekarza*.
Proszę przejść *przez ulicę*.
Proszę podjechać *przed / za dom*.
Jedziemy *nad morze*.
Poszli na spacer *nad rzekę*.
Proszę włożyć to *pod spód*.
Włóż tę kartkę *między książkę a zeszyt*.

***do, z, od, znad, sprzed, zza, spod*** + DOPEŁNIACZ

Jadę *do Krakowa*.
Jedziemy *do Hiszpanii*.
Wracam *z Warszawy*.
Ona wraca *ze szkoły*.
Angela wraca *od Karoliny*.
Odszedł *od drzwi*.
Wracamy *znad morza*.
Grupa rusza *sprzed pomnika*.
Karetka *wyjechała zza zakrętu*.
Dziecko *wyjrzało zza matki*.
Wyjął kotka *spod kurtki*.
Kot wyszedł *spod kanapy*.

### Przyimki statyczne a dynamiczne

| **Dokąd?** (idę, jadę...) | | **Gdzie?** (jestem...) | | **Skąd?** (wracam...) | |
|---|---|---|---|---|---|
| *na film<br>na targ<br>na pocztę<br>w góry* | +B. | *na filmie<br>na targu<br>na poczcie<br>w górach* | +Msc. | *z filmu<br>z targu<br>z poczty<br>z gór* | +D. |
| *do Afryki<br>do szkoły<br>do tablicy* | +D. | *w Afryce<br>w szkole<br>przy tablicy* | +Msc. | *z Afryki<br>ze szkoły<br>od tablicy* | +D. |
| *nad jezioro<br>pod stół<br>przed dom<br>za Kraków* | +B. | *nad jeziorem<br>pod stołem<br>przed domem<br>za Krakowem* | +N. | *znad jeziora<br>spod stołu<br>sprzed domu<br>zza Krakowa* | +D. |
| **Do kogo?** (idę, jadę...) | | **U kogo?** (jestem...) | | **Od kogo?** (wracam...) | |
| *do babci<br>do brata<br>do ciebie* | +D. | *u babci<br>u brata<br>u ciebie* | +D. | *od babci<br>od brata<br>od ciebie* | +D. |

| STOPNIOWANIE PRZYMIOTNIKÓW | | STOPIEŃ równy | wyższy | najwyższy |
|---|---|---|---|---|
| **1. REGULARNIE** | -szy | gruby | grub*szy* | *naj*grubszy |
| | -ejszy | modny | modni*ejszy* | *naj*modniejszy (więcej niż jedna spółgłoska -*ejszy*) |
| *alternacje* | ł ➪ l | miły | mil*szy* | *naj*milszy |
| | g ➪ ż | długi | dłuż*szy* | *naj*dłuższy |
| | n ➪ ń | tani | tań*szy* | *naj*tańszy |
| | s ➪ ż | wąski | węż*szy* | *naj*węższy |
| *redukcja* | *-ki* | krótki | krót*szy* | *naj*krótszy |
| | *-oki* | szeroki | szer*szy* | *naj*szerszy |
| | *-eki* | daleki | dal*szy* | *naj*dalszy |
| **2. NIEREGULARNIE** | | duży | większy | największy |
| | | mały | mniejszy | najmniejszy |
| | | dobry | lepszy | najlepszy |
| | | zły | gorszy | najgorszy |
| **3. OPISOWO** | | kolorowy | bardziej kolorowy | najbardziej kolorowy |

# STOPNIOWANIE PRZYMIOTNIKÓW

Przymiotnik to część mowy określająca cechy i właściwości osób, zwierząt, roślin, rzeczy, zjawisk, pojęć, stanów i zdarzeń. Natężenie tych cech może być zróżnicowane i dlatego przymiotniki występują w stopniu **równym**, **wyższym** i **najwyższym**, czyli podlegają stopniowaniu. W języku polskim istnieją dwie formy stopniowania: **prosta** i **opisowa**.

## Stopniowanie proste

- **stopień wyższy**

Stopień wyższy przymiotników tworzymy przez dodanie do stopnia równego (podstawowej formy przymiotnika) sufiksu *-sz* lub *-ejsz* (po grupach spółgłoskowych) i odpowiedniej końcówki rodzajowej.

*młody* → *młodszy, młodsza, młodsze*
*gruby* → *grubszy, grubsza, grubsze*
*ładny* → *ładniejszy, ładniejsza, ładniejsze*
*bystry* → *bystrzejszy, bystrzejsza, bystrzejsze*

Niektóre przymiotniki, mimo iż kończą się na grupę spółgłoskową wybierają sufiks *-sz* lub występują w dwóch formach.

*prosty* → *prostszy*
*twardy* → *twardszy*
*częsty* → *częstszy*
*czysty* → *czystszy / czyściejszy*

- **stopień najwyższy**

Stopień najwyższy tworzymy przez dodanie prefiksu *naj-* do stopnia wyższego.

*młodszy* → *najmłodszy, najmłodsza, najmłodsze*
*grubszy* → *najgrubszy, najgrubsza, najgrubsze*
*ładniejszy* → *najładniejszy, najładniejsza, najładniejsze*
*bystrzejszy* → *najbystrzejszy, najbystrzejsza, najbystrzejsze*

- **przymiotniki zakończone na *-ki, -oki, -eki***

Przymiotniki zakończone w stopniu równym na: *-ki*, *-oki*, *-eki* w stopniu wyższym ulegają redukcji i tracą te przyrostki:

*krót-ki* → *krótszy* → *najkrótszy*
*głęb-oki* → *głębszy* → *najgłębszy*
dal-eki → dalszy → *najdalszy*

- **alternacje**

ł:l miły → milszy
ciepły → cieplejszy
g:ż drogi → droższy
s:ż niski → niższy
n:ni ładny → ładniejszy
w:wi łatwy → łatwiejszy
sn:śni jasny → jaśniejszy

o:e wesoły → weselszy
a:e biały → bielszy

**Uwaga!**
Grupę spółgłoskową *-ższ* czytamy jak wydłużone *-sz* (np. *wyższy* czyt. [wyszszy])

- **stopniowanie nieregularne**

Przymiotniki *dobry*, *zły*, *duży* i *mały* stopniujemy nieregularnie.

*dobry* → *lepszy* → *najlepszy*
*zły* → *gorszy* → *najgorszy*
*mały* → *mniejszy* → *najmniejszy*
*duży* → *większy* → *największy**

* Identycznie stopniujemy przymiotnik *wielki*.

## Stopniowanie opisowe

Większość przymiotników możemy stopniować zarówno w sposób prosty, jak i opisowy. Stopniowanie opisowe zachodzi przez dodanie do stopnia równego przymiotnika przysłówków *bardziej / najbardziej* dla wzmocnienia cechy oraz *mniej / najmniej* dla jej osłabienia.

*zdrowy* → *zdrowszy* → *najzdrowszy* — *bardziej zdrowy* → *najbardziej zdrowy*
*ciepły* → *cieplejszy* → *najcieplejszy* — *bardziej ciepły* → *najbardziej ciepły*
*smutny* → *smutniejszy* → *najsmutniejszy* — *mniej smutny* → *najmniej smutny*
*zimny* → *zimniejszy* → *najzimniejszy* — *mniej zimny* → *najmniej zimny*

- **przymiotniki wielosylabowe i internacjonalizmy**

Stopień wyższy i najwyższy przymiotników wielosylabowych oraz internacjonalizmów tworzymy tylko w sposób opisowy.

*zaskoczony* → *bardziej zaskoczony* → *najbardziej zaskoczony*
→ *mniej zaskoczony* → *najmniej zaskoczony*
*interesujący* → *bardziej interesujący* → *najbardziej interesujący*
→ *mniej interesujący* → *najmniej interesujący*

- **inne przymiotniki stopniujące się wyłącznie opisowo**

Niektóre przymiotniki stopniujemy wyłącznie opisowo. Często są to przymiotniki dotyczące wyglądu (*łysy, siwy, rudy*), smaku (*gorzki, słony, słodki*), kształtu (*kwadratowy, podłużny*), wrażeń dotykowych (*mokry, suchy, śliski*). Opisowo stopniuje się również imiesłowy pełniące funkcję przymiotnika (*wysportowany, zmęczony, znany, opalony*).

*chory* → *bardziej chory* → *najbardziej chory*
*mniej chory* → *najmniej chory*
*słony* → *bardziej słony* → *najbardziej słony*
*mniej słony* → *najmniej słony*

- **przymiotniki typu *drewniany*, *elektryczny***

Stopniowaniu podlegają jedynie przymiotniki jakościowe. Nie stopniujemy przymiotników, które nazywają materiał, z którego są wytworzone.

*metalowy, drewniany, szklany*
*owocowy, iglasty, owczy*
*wełniany, jedwabny, dżinsowy*
*elektryczny, gazowy, sodowy*

## Porównywanie

Patrz porównywanie przysłówków: tablica 33.

| STOPNIOWANIE PRZYSŁÓWKÓW | | STOPIEŃ równy | wyższy | najwyższy |
|---|---|---|---|---|
| **1. REGULARNIE** | *-ej* | tanio | tani*ej* | *naj*tani*ej* |
| *alternacje* | ł → l | miło | mil*ej* | *naj*milej |
| | g → ż | długo | dłuż*ej* | *naj*dłużej |
| | ch → sz | cicho | cisz*ej* | *naj*ciszej |
| | st → ść | często | częśc*iej* | *naj*częściej |
| *redukcja* | *-ko, -oko, -eko* | daleko | dal*ej* | *naj*dalej |
| | s → ż | blisko | bliż*ej* | *naj*bliżej |
| | r → rz | szeroko | szerz*ej* | *naj*szerzej |
| | d → dź | rzadko | rzadz*iej* | *naj*rzadziej |
| **2. NIEREGULARNIE** | | dużo | więcej | najwięcej |
| | | mało | mniej | najmniej |
| | | dobrze | lepiej | najlepiej |
| | | źle | gorzej | najgorzej |
| **3. OPISOWO** | | kolorowo | bardziej kolorowo | najbardziej kolorowo |

## STOPNIOWANIE PRZYSŁÓWKÓW

Przysłówek to nieodmienna część mowy, służąca do określenia sposobu wykonania czynności lub stopnia natężenia jakiejś cechy. Natężenie to może być zróżnicowane i dlatego przysłówki występują w **stopniu równym**, **wyższym** i **najwyższym**, czyli podlegają stopniowaniu.
W języku polskim istnieją dwie formy stopniowania: **prosta** i **opisowa**.

### Stopniowanie proste

- **stopień wyższy i najwyższy**
  Stopień wyższy przysłówków tworzymy przez dodanie do stopnia równego (podstawowej formy przysłówka) końcówki *-ej*, a stopień najwyższy przez dodanie prefiksu *naj-* do stopnia wyższego.

*zimno* → *zimniej* → *najzimniej*
*ładnie* → *ładniej* → *najładniej*
*ciekawie* → *ciekawiej* → *najciekawiej*
*intensywnie* → *intensywniej* → *najintensywniej*

- **przysłówki zakończone na *-ko, -oko, -eko***
  Przysłówki zakończone w stopniu równym na: *-ko*, *-oko*, *-eko* w stopniu wyższym ulegają redukcji i tracą te przyrostki:

*krót-ko* → *krócej* → *najkrócej*
*głęb-oko* → *głębiej* → *najgłębiej*
*dal-eko* → *dalej* → *najdalej*

- **alternacje**

ł:l miło → milej
g:ż drogo → drożej
s:ż nisko → niżej
r:rz staro → starzej
t:c krótko → krócej
st:ści gęsto → gęściej
s:ś jasno → jaśniej
s:zi wąsko → węziej
d:dzi młodo → młodziej
d:dz prędko → prędzej
ch:sz cicho → ciszej
n:ni trudno → trudniej
w:wi łatwo → łatwiej
b:bi głęboko → głębiej

o:e wesoło → weselej
ą:ę gorąco → goręcej

- **stopniowanie nieregularne**
  Przysłówki *dobrze*, *źle*, *dużo* i *mało* stopniujemy nieregularnie:

*dobrze* → *lepiej* → *najlepiej*
*źle* → *gorzej* → *najgorzej*
*dużo* → *więcej* → *najwięcej*
*mało* → *mniej* → *najmniej*

### Stopniowanie opisowe

Większość przysłówków możemy stopniować zarówno w sposób prosty, jak i opisowy. Stopniowanie opisowe zachodzi przez dodanie do stopnia równego przysłówka przysłówków *bardziej / najbardziej* dla wzmocnienia natężenia cechy oraz *mniej / najmniej* dla jego osłabienia.

*zdrowo* → *zdrowiej* → *najzdrowiej* — *bardziej zdrowo* → *najbardziej zdrowo*
*ciepło* → *cieplej* → *najcieplej* — *bardziej ciepło* → *najbardziej ciepło*
*smutno* → *smutniej* → *najsmutniej* — *mniej smutno* → *najmniej smutno*
*zimno* → *zimniej* → *najzimniej* — *mniej zimno* → *najmniej zimno*

- **przysłówki wielosylabowe i internacjonalizmy**
  Stopień wyższy i najwyższy przysłówków wielosylabowych oraz internacjonalizmów tworzymy tylko w sposób opisowy.

*zaskakująco* → *bardziej zaskakująco* → *najbardziej zaskakująco*
→ *mniej zaskakująco* → *najmniej zaskakująco*
*interesująco* → *bardziej interesująco* → *najbardziej interesująco*
→ *mniej interesująco* → *najmniej interesująco*

### Porównywanie

- **stopień równy**

tak samo ....... jak + MIANOWNIK

*Tom mieszka tak samo blisko jak Ewa.*
*Ta propozycja brzmi tak samo interesująco jak tamta.*

- **stopień wyższy**

niż + MIANOWNIK

*Tom mieszka bliżej niż Ewa.*
*Ta propozycja brzmi bardziej interesująco niż tamta.*

od + DOPEŁNIACZ

*Tom mieszka bliżej od Ewy.*
*Ta propozycja brzmi bardziej interesująco od tamtej.*

- **stopień najwyższy**

z / ze + DOPEŁNIACZ

*Tom mieszka najbliżej ze wszystkich.*
*Ta propozycja brzmi najbardziej interesująco z tych wszystkich.*

w + MIEJSCOWNIK

*Ewa napisała egzamin najlepiej w Krakowie.*

# LICZEBNIKI

| | LICZEBNIKI GŁÓWNE | LICZEBNIKI PORZĄDKOWE | |
|---|---|---|---|
| | ILE? | KTÓRY? | O KTÓREJ? |
| 1 | jeden | pierwszy, -a, -e | o pierwszej |
| 2 | dwa | drugi, -a, -ie | o drugiej |
| 3 | trzy | trzeci, -a, -e | o trzeciej |
| 4 | cztery | czwarty, -a, -e | o czwartej |
| 5 | pięć | piąty, -a, -e | o piątej |
| 6 | sześć | szósty, -a, -e | o szóstej |
| 7 | siedem | siódmy, -a, -e | o siódmej |
| 8 | osiem | ósmy, -a, -e | o ósmej |
| 9 | dziewięć | dziewiąty, -a, -e | o dziewiątej |
| 10 | dziesięć | dziesiąty, -a, -e | o dziesiątej |
| 11 | jedenaście | jedenasty, -a, -e | o jedenastej |
| 12 | dwanaście | dwunasty, -a, -e | o dwunastej |
| 13 | trzynaście | trzynasty, -a, -e | o trzynastej |
| 14 | czternaście | czternasty, -a, -e | o czternastej |
| 15 | piętnaście | piętnasty, -a, -e | o piętnastej |
| 16 | szesnaście | szesnasty, -a, -e | o szesnastej |
| 17 | siedemnaście | siedemnasty, -a, -e | o siedemnastej |
| 18 | osiemnaście | osiemnasty, -a, -e | o osiemnastej |
| 19 | dziewiętnaście | dziewiętnasty, -a, -e | o dziewiętnastej |
| 20 | dwadzieścia | dwudziesty, -a, -e | o dwudziestej |
| 30 | trzydzieści | trzydziesty, -a, -e | o dwudziestej pierwszej |
| 40 | czterdzieści | czterdziesty, -a, -e | o dwudziestej drugiej |
| 50 | pięćdziesiąt | pięćdziesiąty, -a, -e | o dwudziestej trzeciej |
| 60 | sześćdziesiąt | sześćdziesiąty, -a, -e | o dwudziestej czwartej |
| 70 | siedemdziesiąt | siedemdziesiąty, -a, -e | |
| 80 | osiemdziesiąt | osiemdziesiąty, -a, -e | |
| 90 | dziewięćdziesiąt | dziewięćdziesiąty, -a, -e | |
| 100 | sto | setny, -a, -e | |
| 200 | dwieście | dwusetny, -a, -e | |
| 300 | trzysta | trzechsetny, -a, -e | |
| 400 | czterysta | czterechsetny, -a, -e | |
| 500 | pięćset | pięćsetny, -a, -e | |
| 600 | sześćset | sześćsetny, -a, -e | |
| 700 | siedemset | siedemsetny, -a, -e | |
| 800 | osiemset | osiemsetny, -a, -e | |
| 900 | dziewięćset | dziewięćsetny, -a, -e | |
| 1000 | tysiąc | tysięczny, -a, -e | |

*Sprawdź, czy umiesz. Zrób ćwiczenia na:*

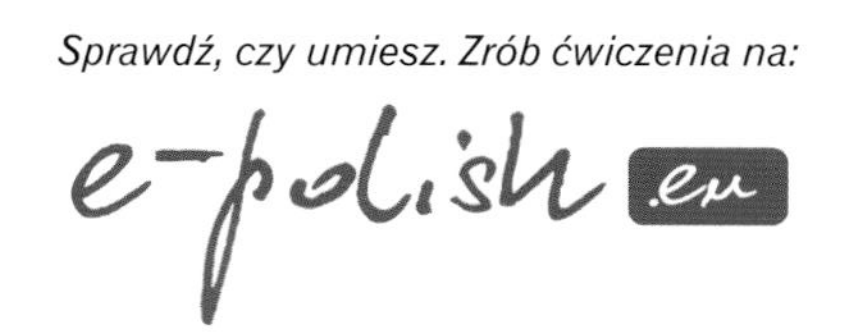

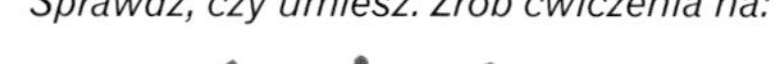

## LICZEBNIKI

Liczebnik to część mowy określająca **liczbę**, **ilość**, a także **liczebność**, **wielokrotność** czy **kolejność**. Liczebniki główne i porządkowe odmieniają się przez przypadki i rodzaje.

### Rodzaje liczebników

| | |
|---|---|
| **główne** | *jeden, dwa, trzy* |
| **porządkowe** | *pierwszy, drugi, trzeci* |
| **ułamkowe** | *ćwierć, pół, półtora, jedna druga* |
| **zbiorowe** | *dwoje, troje, czworo* |
| **mnożne** | *podwójny, potrójny, poczwórny* |
| **nieokreślone** | *niewiele, kilka, kilkadziesiąt, kilkaset, wiele, trochę, dużo, mało* |
| **wielorakie** | *dwojaki, trojaki* |
| **wielokrotne** | *trzykroć, dwakroć* |

**Uwaga**

Liczebniki **zbiorowe** łączą się jedynie z rzeczownikami, które posiadają wyłącznie liczbę mnogą (*dwoje drzwi, troje skrzypiec*), rzeczownikami nazywającymi potomstwo (*dwoje dzieci, troje piskląt, czworo kurcząt*), nazywającymi narządy ludzkie (*dwoje oczu, dwoje uszu*) oraz oznaczającymi osoby różnej płci (*dwoje ludzi, troje uczniów, pięcioro studentów*).

### Rekcja liczebnika

| ONE | r. niemęskoosobowy | |
|---|---|---|
| ILE? | dwa /dwie, trzy, cztery | **+ mian. l. mn.** komputery studentki ciastka |
| | pięć, sześć, … dwanaście, … | **+ dop. l. mn.** komputerów studentek ciastek |

| ONI | r. męskoosobowy | |
|---|---|---|
| ILU? | dwaj, trzej, czterej | **+ mian. l. mn.** studenci |
| | dwóch, trzech, czterech<br>pięciu, sześciu, … dwunastu, … | **+ dop. l. mn.** studentów |

### Przykładowe funkcje

- **daty**
- **daty dzienne** podajemy w **liczebnikach porządkowych.**

| *KTÓRY DZIŚ JEST?* + **MIANOWNIK** | *KIEDY?* + **DOPEŁNIACZ** |
|---|---|
| *Dziś jest pierwszy stycznia.* | *Kiedy przyjeżdżasz do Krakowa?* |
| *Dziś jest drugi lutego.* | *Drugiego lutego.* |
| *Dziś jest dwunasty maja.* | *Kiedy kończą państwo kurs?* |
| *Dziś jest dwudziesty trzeci czerwca.* | *Dwudziestego trzeciego czerwca.* |

- **daty roczne** składają się z dwóch członów. Pierwszy człon to **tysiąclecie** i **stulecie**, podajemy go w **liczebnikach głównych** w mianowniku i pozostaje on nieodmienny. Drugi człon to **dziesięciolecie** i **pojedyncze lata**, podajemy go w **liczebnikach porządkowych**, które odmieniamy w zależności od potrzeby.

| | **tysiąclecie + stulecie** (nieodmienne) | **dziesięciolecie** (odmienne) |
|---|---|---|
| *W którym roku?* (miejscownik) | *w tysiąc dziewięćset*<br>*w dwa tysiące* | *siedemdziesiątym pierwszym roku*<br>*dziesiątym roku* |
| *Od którego roku?* (dopełniacz) | *od tysiąc dziewięćset*<br>*od dwa tysiące* | *siedemdziesiątego pierwszego roku*<br>*dziesiątego roku* |
| *Do którego roku?* (dopełniacz) | *do tysiąc dziewięćset*<br>*do dwa tysiące* | *siedemdziesiątego pierwszego roku*<br>*dziesiątego roku* |

Kiedy podajemy, w którym roku coś się stało, możemy opuścić pierwszy człon (tysiąclecie i stulecie):

*W osiemdziesiątym pierwszym roku wyjechałem z Polski.*

- **data dzienna + data roczna**

  *Dziś jest drugi listopada dwa tysiące dwunastego roku.*
  *Pracowała tam od pierwszego czerwca dwa tysiące piątego roku.*

- **tysiąclecia**

  *W tysięcznym roku.* *W dwutysięcznym roku.* *W trzytysięcznym roku.*

- **w latach**

  Przy wyrażeniu *w latach* całą datę podajemy w **liczebnikach głównych**.

  *W latach tysiąc dziewięćset osiemdziesiąt pięć – osiemdziesiąt dziewięć.*

- **godziny**

  Godziny podajemy w **liczebnikach porządkowych**, a **minuty** w **głównych**.

| *KTÓRA JEST GODZINA?* + **MIANOWNIK** | *O KTÓREJ GODZINIE?* + **MIEJSCOWNIK** |
|---|---|
| *Jest pierwsz**a**.* | *O pierwsz**ej**.* |
| *Jest dziesiąt**a**.* | *O dziesiąt**ej**.* |
| *Jest dwudziest**a** drug**a**.* | *O dwudziest**ej** drug**iej**.* |

- **W języku oficjalnym** operujemy 24 godzinnym systemem, a liczbę minut podajemy po godzinie.

  *pierwsza w nocy, ósma rano, dziesiąta przed południem, dwunasta w południe, piętnasta, dwudziesta druga, dwudziesta czwarta (północ)*

| 12:15 | 12:30 | 12:45 |
|---|---|---|
| dwunasta piętnaście | dwunasta trzydzieści | dwunasta czterdzieści pięć |

- **W języku nieoficjalnym** operujemy 12 godzinnym (12 + 12) systemem. Podając liczbę minut używamy przyimków *za*, *po* oraz wyrażenia przyimkowego *wpół do*.

  *pierwsza w nocy, trzecia nad ranem, ósma rano, dziesiąta przed południem, dwunasta w południe, pierwsza po południu, dziesiąta wieczorem, dwunasta w nocy.*

| 12:15 | 12:30 | 12:45 |
|---|---|---|
| piętnaście po dwunastej | wpół do pierwszej | za piętnaście pierwsza |
| minuty + *po* + godzina | *wpół do* + godzina | *za* + minuty + godzina |